D1489848

Du même auteur dans la même collection :
Le Septième Clone,
nouvelle parue dans *Graines de futurs* (n°1)
Les Cendres de Ligna (n°2)
Forêts virtuelles,
nouvelle parue dans *Les Visages de l'humain* (n°7)

Collection dirigée par Denis Guiot
Couverture illustrée par Philippe Munch

Participation à l'ouvrage : Chloé Chauveau
et Dominique Montembault
Mise en pages : Studio Michel Pluvinage

ISBN : 2 7404 1386-6

sa majesté des clones

Jean-Pierre Hubert

MANGO JEUNESSE

Prologue

Souris avait décidé de quitter le dortoir des petits peu avant l'extinction des feux. À neuf ans passés, il avait le droit de prolonger sa soirée jusqu'à dix heures dans la salle de jeux située dans l'aile nord de la station orbitale Mentor. Pour lui, c'était un véritable soulagement, car le gazouillis de ses jeunes compagnons de chambrée le fatiguait. Les pleurs et les disputes puériles des trois Canaris, le babil incessant de la bavarde Pelote lui portaient sur les nerfs à la longue.

« Vivement que je vieillisse ! L'année prochaine, je dormirai avec les grands ! » songeait-il en longeant la coursive externe qui menait à la salle de jeux.

Ses mag-boots résonnaient dans le couloir désert de l'aile septentrionale. Dans l'espace, les notions d'orientation sud-nord et est-ouest n'avaient guère de sens, mais tout le monde s'était habitué à appliquer à la station-école Mentor la vieille rose des vents de l'antique navigation terrestre.

Souris n'aimait pas les couloirs externes. Les larges baies vitrées aspiraient le regard dans l'immense velours du vide clouté d'étoiles lointaines ressemblant à autant d'yeux qui ne cillaient jamais. Plus rassurante était la vision d'Afgor la Verte, autour de laquelle la station orbitait, mais les coursives nord ne révélaient qu'un mince croissant de son ventre rassurant.

Afgor… Quelque part sur cette planète pratiquement dépourvue d'océan, quelque part dans une clairière, sur une petite tonsure infligée à la forêt, omniprésente, vivaient ses parents… Ses parents… enfin… l'homme et la femme qui l'avaient mis au monde. Il poussa un soupir et accéléra le pas.

La veille, il avait calé au niveau 8 de *Space Simulator*. L'épreuve consistait à frôler au plus près des trous noirs pourvus d'un formidable pouvoir gravitationnel afin d'obtenir une accélération quasi infinie. Après ses échecs de la veille, il se promettait de prendre sa revanche ce soir.

La coursive était décidément interminable. Nul doute qu'on avait placé volontairement le dortoir des petits à l'écart de tous les espaces ludiques. Ses longues jambes grêles commençaient à sentir l'effort accumulé d'une marche en microgravité avec des semelles magnétiques. Il s'arrêta pour reprendre son souffle. Sur sa droite, à travers une baie, un rayon de feu annonçait le lever d'Oreste ou de Pylade, les deux soleils du système Gémini, qui jetaient une lumière crue sur leur immense troupeau de planètes. Il était difficile de les distinguer. Oreste était légèrement plus grand que son compagnon, mais comme on ne pouvait pas l'affronter du regard, même en passant, à cause de son éclat de forge céleste…

Souris avait récupéré et s'apprêtait à accélérer le pas pour arriver enfin à destination, lorsqu'il remarqua une étoile plus brillante que les autres. Il connaissait ses constellations locales sur le bout des doigts, les cours d'astronomie étant particulièrement poussés sur Mentor, mais il ne parvenait pas à reconnaître ce gros lampion scintillant. Sans doute une des quarante planètes du système, à moins que… Son cœur se serra, en proie à un doute lancinant.

Ce fut à cet instant qu'il entendit la sirène d'alarme. Les consignes étaient formelles : il devait retourner sur ses pas et gagner au plus vite le dortoir des petits. Il jeta à nouveau un coup d'œil vers l'extérieur. La mystérieuse étoile avait encore grossi. Cette fois, plus de doute possible : c'était un vaisseau étranger qui s'approchait de la station et non la navette régulière d'Afgor, attendue pour le lendemain. Dans le hurlement strident de la sirène, il se mit à courir, l'estomac noué par une panique grandissante. Ce n'était tout de même pas un croiseur de guerre arachnos ! Mentor ne représentait pas un objectif militaire, et l'ennemi n'avait pas pour habitude de gaspiller ses munitions sur des satellites civils.

Une explosion sourde fit vibrer le sol sous ses pieds. Une lueur aveuglante ternit pour quelques secondes l'éclat du soleil. Des débris métalliques se mirent à tourbillonner dans l'espace, certains heurtant la coque avec violence. Aucun doute, c'était une attaque! À l'école, on leur parlait à longueur de journée de la guerre qui opposait les Terriens aux premiers extraterrestres évolués qu'ils avaient rencontrés dans leur expansion, ces horribles araignées intelligentes qu'on appelait les Arachnos. Mais les champs de bataille étaient loin d'Afgor, comment imaginer qu'une modeste station-école puisse être soudain au cœur du conflit?

La nef étrangère était maintenant parfaitement visible. C'était un gigantesque cuirassé de combat vomissant de ses soutes une nuée de torpilles et de chasseurs pilotés. Les défenses de Mentor n'étaient pas à la mesure d'un tel adversaire.

La peur donna des ailes à Souris. Il se rua dans le couloir et rejoignit la chambrée en quelques secondes. Le dortoir offrait le spectacle d'une belle pagaille. Tous les voyants étaient au rouge. Il y avait une fuite d'air! Le trio geignard des Canaris s'était réfugié sous un lit en hurlant de terreur, et cette teigneuse de Pelote avait perdu toute agressivité.

—L'air fout le camp, on va mourir! bredouilla-t-elle en s'accrochant au bras de Souris.

Il se dégagea d'une bourrade agacée.

—Il ne faut pas rester ici. Les portes vont se fermer, avec la baisse de pression, et on sera faits comme des rats, décréta-t-il.

Ses consignes manquaient d'autorité. Une bonne moitié de la chambrée refusa de bouger. Seule Pelote, avec l'aide d'une amie, poussa les Canaris devant elle. Deux autres garçonnets indécis se joignirent, tout tremblants, à la troupe.

—Si on allait au réfectoire ? proposa Pelote en levant son nez retroussé vers le garçon qui les guidait.

—Non, il vaut mieux rejoindre le dortoir des grands. Ils sauront ce qu'il faut faire…

Pelote prit une mine boudeuse, mais se plia à cette proposition.

Les couloirs n'étaient que faiblement éclairés par les groupes de secours, et une fumée âcre commençait à s'y répandre. Des bruits d'explosion se succédaient. Ils franchirent un premier sas. Le dortoir des grands était à moins de cinquante mètres dans l'aile ouest.

Ils n'eurent pas à s'y rendre. Les grands venaient à leur rencontre ou, plus exactement, refluaient en désordre dans leur direction.

—Les Arachnos ! hurlaient-ils.

Derrière eux, une masse grouillante d'araignées d'une taille énorme occupait aussi bien le sol que les murs et le plafond. Leur abdomen était recouvert d'une cuirasse sombre où clignotaient des alertes électroniques. La vision de ces insectes géants organisés et dotés de prolongements technologiques pareils à ceux des humains était terrifiante.

L'ennemi devait avoir conscience de sa supériorité. Il n'utilisait pas ses armes lourdes. Les filières des tisseuses éjectaient des filins d'une incroyable résistance en direction des fuyards. Tout membre emprisonné par ces fins lassos qui se rétractaient avec violence était aussitôt sectionné. Le sol poissé de sang se couvrait de bras et de jambes coupés.

Souris fut renversé et piétiné par la meute en déroute, et se retrouva brusquement en première ligne. Le couloir devant lui était tapissé d'Arachnos, une masse compacte et décidée. Il distinguait leurs yeux traversés de scintillements bleutés et les redoutables crochets qui ornaient leurs bouches. Il se sentit perdu et pensa à ses parents, sur Afgor. Pourquoi n'étaient-ils pas là pour protéger leur enfant de ce terrible cauchemar ? Il gémit.

À cet instant, une dizaine de soldats en scaphandre surgirent du couloir latéral en brandissant des pistolets laser. L'engagement fut brutal et impitoyable. Les feux croisés des armes terriennes découpèrent une centaine d'ennemis. Les araignées refluèrent, non sans répliquer par un jet d'acide qui atteignit quelques soldats de la patrouille. Les hommes touchés n'avaient pas le temps de se défaire de leur combinaison. Les protections fondaient sous l'effet d'un agent corrosif hyperpuissant et les chairs, rapidement atteintes, étaient horriblement brûlées dans un nuage de fumée noirâtre. Quatre combattants restèrent sur le carreau sous le regard impuissant de leurs compagnons.

—Il faut mettre ces enfants en sûreté ! déclara un lieutenant en distribuant quelques ordres brefs. Deux d'entre nous vont les conduire jusqu'aux navettes d'évacuation. Nous couvrirons votre retraite.

Il n'était pas difficile de deviner que la situation n'était guère brillante. Le bruit des explosions avait cessé, remplacé par un long raclement qui provoquait des frémissements inquiétants dans les superstructures de la station.

« Ils sont en train de nous arrimer à leur croiseur », songea Souris avec un hoquet de terreur.

Chacun savait ce que cela voulait dire. Les Arachnos ne faisaient jamais de prisonniers, sinon pour les disséquer dans leurs laboratoires. La consigne dans ce cas était de saborder purement et simplement le vaisseau prisonnier pour éviter la transmission de données stratégiques à l'ennemi. Ce dernier connaissait cette consigne, et faisait tout pour empêcher l'autodestruction de la station.

Matt et Léa étaient les deux soldats chargés de conduire les enfants jusqu'aux navettes. Souris les connaissait bien, ils donnaient parfois des cours sur la sécurité. C'étaient deux personnes calmes et très efficaces. Souris se sentit soudain moins seul.

Tout se passa bien jusqu'aux soutes du niveau inférieur. Le couple d'adultes connaissait des itinéraires de service discrets. En revanche, dès qu'ils furent à proximité des navettes, ils perçurent des sifflements et des « clic » à la limite des ultrasons. Des Arachnos communiquaient dans les environs, mais leurs transmissions sonores prouvaient qu'ils n'avaient pas repéré la présence de la petite troupe humaine.

Matt jeta son dévolu sur la navette la plus proche. Le

sas d'accès s'ouvrit en chuintant. Ce bruit donna l'alerte. Tombant des voûtes au bout de leurs fils, les Arachnos firent pleuvoir une volée de dards sur les Terriens. Pas plus épais qu'un cheveu, ces projectiles vicieux perçaient n'importe quel matériau de part en part et distillaient un poison paralysant. Une dizaine de corps d'enfants agités de soubresauts spasmodiques jonchèrent aussitôt le sol. Léa ouvrit le feu tout en poussant la poignée de survivants à l'intérieur de la navette. Au moment de fermer le sas, elle fut agrippée par une des araignées. Il s'ensuivit une lutte brève et violente.

Le sas se refermait, et l'Arachnos comprit qu'elle allait être prise au piège. Elle lâcha Léa et se précipita vers la porte, griffant frénétiquement le battant. Trop tard. La navette glissait sur sa rampe de lancement en même temps que les moteurs de propulsion s'allumaient.

Léa s'approcha de l'Arachnos, soudain complètement immobile, les pattes repliées sous son abdomen. Elle se savait perdue et faisait déjà la morte. Ses yeux seuls bougeaient et observaient ses bourreaux avec intensité.

Léa la tua d'une salve de laser. Aussitôt Pelote se précipita sur le cadavre pour lui donner des coups de pied rageurs.

—Sale bête, hurla-t-elle, on a fini par te crever, hein ?

Léa prit fermement la fillette par la main.

—Laisse-la ! dit-elle avec lassitude. Elle faisait son devoir, comme moi… Maintenant, elle n'a plus de problèmes.

La jeune femme était blessée. Les crochets de son adversaire avaient entaillé sa combinaison au niveau de la poitrine. Elle tâta la lésion, faillit avoir une défaillance, mais se domina.

—Combien sommes-nous, comptez-vous les enfants… dit-elle, les traits crispés.

Ils étaient un peu moins d'une vingtaine. Souris dévisagea ces miraculés. Un mélange de grands et de petits. Une majorité de garçons. Il y avait là le blond Élie en compagnie de Tiggy, une fille un peu boulotte, Moelo, le grand Carner, cette brute de Bardinn et quelques autres membres de l'équipe du jeu de palet en microgravité, Toupie, aussi, qui n'était pas plus grand que lui mais nettement plus âgé ; un drôle de bric-à-brac si on ajoutait les petits, dont les trois Canaris, toujours aussi froussards mais miraculeusement épargnés par le carnage.

—Une torpille arachnos nous colle au train, fit la voix de Matt dans l'interphone. J'enclenche la procédure de saut hyperspatial.

—OK, je vais mettre les enfants en sécurité, dit Léa brièvement…

Élie intervint :

—Inutile de tenter de nous rassurer, Léa. Si la torpille nous atteint, nous n'aurons plus aucun problème de sécurité.

La jeune femme hocha la tête, accablée. Une mauvaise sueur perlait à son front et la peau de son visage virait au gris… Le grand Carner la soutint alors qu'elle chancelait.

—C'est… c'est le poison de l'Arachnos, murmura-t-elle.

—Accélération maximale, annonça soudain le pilote. Le saut est programmé dans cinq secondes. On est en train de semer la torpille et…

À cet instant, une lueur spectrale blanchit les hublots. Sentant son gibier lui échapper, le missile arachnos venait d'exploser. L'onde de choc les rattrapa une fraction de seconde plus tard et happa la navette au moment exact où elle passait dans l'hyperespace. Ils furent tous plaqués sur le sol avec une violence inouïe.

I
En terre inconnue

Le garçon blond descendit les derniers rochers et
se dirigea vers la lagune en regardant où il
posait les pieds. Une large éraflure barrait son
front barbouillé de sang. Il avait dû perdre connaissance en abordant la crique.

Une plage de sable blanc étalait son arc parfait dans
la lumière généreuse des deux soleils, hauts dans le
ciel. La mer était lisse comme un miroir et se brisait
sur la côte en vaguelettes à peine audibles.
L'impression de solitude était totale. Le garçon eut un
vertige et s'essuya les yeux du revers de la main. Il
regarda, hébété, les taches rouges qui maculaient sa
peau.

Il ne se souvenait pas à quel moment, en quittant la
navette en train de sombrer, il s'était blessé à la tête.
Tout s'était passé si vite. Léa, rassemblant ses dernières forces, les avait poussés dans un sas et ils
s'étaient tous retrouvés propulsés à l'extérieur dans un
nuage de bulles et de débris flottants. Les remous qui
accompagnaient le naufrage du vaisseau en train de

couler étaient puissants et avaient failli les happer tous vers le fond.

Il avait lutté pour sauver sa peau, ignorant où étaient les autres. La nage en eau libre ne lui était pas familière, et ce n'était pas la petite piscine de Mentor qui aurait pu le préparer à une telle épreuve. Si cela se trouvait, il était peut-être l'unique survivant. Cette horrible idée lui arracha un sanglot convulsif.

« J'ai quatorze ans et je suis en train de chialer comme un môme, c'est complet… » se dit-il en secouant la tête en signe de refus farouche à ce moment de faiblesse qu'il estimait indigne d'un cadet d'Afgor.

Ses pieds s'enfoncèrent dans le sable. Le sol était incroyablement propre. Aucune trace d'algue ou de coquillage. Il fit quelques pas mécaniques et s'immobilisa. Il avait entendu un cri. Peut-être l'appel d'un oiseau, encore que le ciel fût net de toute présence animale. Il peina quelques mètres encore, s'enfonçant à chaque foulée.

Ses sens ne l'avaient pas trompé. Des petits points noirs bougeaient à l'autre extrémité de la plage. Il poussa un soupir de soulagement et se mit à courir en faisant de grands signes des bras.

La première personne qui vint à sa rencontre fut Tiggy, dont la chevelure de feu se voyait de loin. Elle avait pu sauver une trousse de détresse du naufrage, et une paire de jumelles pendait sur sa poitrine. Elle se serra contre lui avec émotion.

—Dieu soit loué, Élie, tu es vivant, murmura-t-elle, tout essoufflée. Mais tu es blessé, laisse-moi voir.

—Ce n'est rien…

D'autorité, elle épongea le front du garçon d'un coin de son tee-shirt. Ses gestes étaient précis et précautionneux. Élie se laissa faire avec gratitude. Le visage plein et parsemé de taches de rousseur de la jeune fille, ce visage si proche du sien, avait quelque chose de lumineux et de maternel.

—Et les autres ? demanda Élie en se dégageant doucement et en regardant par-dessus son épaule.

—Quelques-uns manquent à l'appel, et aucune trace des deux adultes. Je vais désinfecter ta plaie… Ce n'est pas bien profond… Les petits sont encore sous le choc. Ils pleurent beaucoup…

—Je les comprends…

Ils se remirent en marche pour rejoindre le groupe. Tiggy lui fit un rapport détaillé… qu'il ne lui demandait pas. Elle avait besoin de parler.

—Une bonne partie de la bande à Moelo s'en est tirée. Le grand Carner, Janis, Bardinn, les jumeaux Kort et Vort, Goon aussi. En fait, presque toute l'équipe de palet en microgravité.

—Pas étonnant, ils ne peuvent pas s'empêcher de faire tout ensemble, commenta Élie avec un petit gloussement narquois. Et parmi les petits ?

—Souris aux longues jambes, les Canaris et Pelote la bavarde. Il y a aussi Toupie…

—Ce n'est pas un petit ! Il a presque notre âge.

—Oui, mais il ne se mêle pas à nous. Il préfère rester seul ou fréquenter les plus jeunes…

Élie l'interrompit en serrant les mâchoires.

—À peine l'ensemble d'une classe. C'est peu de survivants quand on pense à la population totale de Mentor, fit-il, le regard sombre. Les Arachnos ont mené une opération d'extermination. C'est inhumain…

—C'est arachnos tout simplement… Il y a peut-être d'autres navettes qui ont pu s'échapper de la station, le rassura Tiggy avec un pauvre sourire.

—Étant donné les forces en présence, cela m'étonnerait. Nous avons nous-même failli être volatilisés avant notre saut dans l'hyperespace. Il s'en est fallu d'un cheveu. Le pilote a dû être touché au moment du passage. Apparemment, nous avons fait un atterrissage d'urgence en automatique sur une planète inconnue.

—Il faut espérer que les balises de détresse signalent notre présence.

Élie haussa les épaules.

—Dans un crash, rien ne fonctionne jamais vraiment comme prévu…

Tiggy lui serra furtivement la main. Ils faisaient tous les deux partie de la même promotion de cadets. Ils avaient appris à s'apprécier dans une franche camaraderie, même si certaines zones de leur complicité étaient plus secrètes.

Moelo s'avançait vers eux sur la plage inondée de soleil. Un de ses lieutenants, Carner, se tenait à sa droite, et le reste de l'équipe les suivait à quelques pas. Ils formaient un groupe soudé et leurs regards semblaient se conformer à une norme commune.

—Salut, Élie! lança Moelo avec un petit sourire entendu. Heureux de te savoir vivant… Cette chère Tiggy s'inquiétait de ton absence…

Moelo était un garçon râblé, de petite taille, au teint mat, doué d'une énergie secrète qui donnait à chacun de ses actes et de ses paroles une intensité provoquant l'attention. Ce n'était pas par hasard qu'il était le capitaine de l'équipe de palet. Ses yeux sombres sous des sourcils broussailleux s'attardèrent sur Tiggy.

—Soulagée d'avoir retrouvé ton copain de promotion? Il est tout de même plus fréquentable que des champions de palet!

Tiggy rougit imperceptiblement.

—Je ne vois pas ce que tu veux insinuer, Moelo. Nous sommes tous des rescapés de la station Mentor, et il faut songer à nous organiser.

Il y eut quelques petits ricanements dans les rangs de l'équipe. Élie coupa court à ces manifestations moqueuses.

—Tiggy a raison, dit-il d'une voix posée. L'essentiel pour le moment est de s'assurer que les balises de détresse ont été activées et d'organiser un campement provisoire avant l'arrivée des secours. Nous sommes les victimes d'une agression des Arachnos, et, en tant que tels, des combattants d'Afgor sur un terrain inconnu, donc hostile…

Moelo se gratta le menton d'un air perplexe.

—Ouais, le cadet Élie a bien parlé. Il applique en bon élève des consignes qui ont peut-être cours sur Mentor. Mais ici... Je vois une plage déserte, un ciel vide et une petite bande de paumés. Je trouve que les adultes chargés de nous protéger ont été un peu légers. Pas un officier à l'horizon... On est entre mômes, pour ainsi dire laissés à nous-mêmes.

Élie avala sa salive. Sur Mentor, il avait toujours évité Moelo et sa bande de sportifs. Mais là, il n'y avait pas moyen de s'esquiver.

—Écoute, Moelo, dit-il d'un ton mesuré. Je sais que tu ne m'aimes pas trop, mais ici il faut se serrer les coudes. L'essentiel maintenant est d'assurer un campement pour la nuit et d'explorer les environs pour voir s'il y a quelque chose de comestible. Ensuite, on s'occupera de la navette. On construira un radeau pour se rendre sur les lieux du crash et...

—OK, OK ! l'interrompit Moelo. On fait comme sur Mentor, on s'agite dès le lever du jour, et je suppose que c'est toi qui donneras les ordres...

—Je ne vois pas qui d'autre, intervint Tiggy. Élie est le seul avec moi à avoir suivi l'école des cadets de l'espace. Il sait ce qu'il faut faire dans de pareilles circonstances...

Un des lieutenants de Moelo, le petit Goon, au visage de fouine en maraude, prit la parole sur un ton feutré.

—Élie n'a pas tort dans l'absolu, glissa-t-il. Dans les prochaines heures, nous allons devoir trouver un abri et de quoi manger. Là où je ne suis pas d'accord, c'est lorsqu'il décide de nous commander. Pourquoi lui? Nous sommes en démocratie Le chef doit être élu. Pour ma part, mon choix est fait. Je préfère obéir à Moelo plutôt qu'à ce cadet, avec sa copine la surdouée qui lui fait les yeux doux…

La majorité approuva bruyamment cette prise de position, et Tiggy eut toutes les peines du monde à se faire entendre.

— Taisez-vous, bande d'abrutis! hurla-t-elle, ivre de colère. Ce n'est pas parce que vous jouez à la « baballe » ensemble que vous pouvez changer les règles du jeu. Aucun d'entre vous n'a bénéficié de la formation d'Élie. Vous êtes tout bêtement jaloux de sa supériorité parce que vous avez raté vos épreuves de qualification. Nous sommes en temps de guerre et, en l'absence d'une autorité adulte, c'est lui le plus qualifié pour prendre le commandement.

— Ma parole, la grosse Tiggy nous récite le règlement, ironisa Kort, un des jumeaux.

— Dis plutôt qu'elle en pince pour le blondinet, renchérit son frère dans la foulée…

Tiggy leur jeta un œil noir et tira de sa trousse de secours un objet métallique qu'elle fit miroiter au soleil.

— Vous n'êtes qu'une bande de petits machos imbéciles, gronda-t-elle.

— Mince, un pistolet laser! s'exclama Moelo en avisant l'objet qu'on lui mettait sous le nez.

—Bien vu, monsieur le capitaine de l'équipe de palet, jeta Tiggy d'un ton grinçant. J'ai eu le réflexe de prendre cette trousse en montant dans la navette. Il y a là quelques rations de survie, des pansements, quelques médicaments, une paire de jumelles et cette arme…

Il y eut un long murmure. Tout le monde était fasciné par cet outil technologique miraculeusement sauvé des eaux. C'était comme un message provenant d'un monde qui les avait abandonnés.

—Il est à toi, Élie, dit la jeune fille en tendant l'arme au garçon.

—Merci Tiggy, répondit Élie en se saisissant du pistolet.

Il le soupesa dans sa paume pour l'examiner, fit rapidement un réglage avec la pointe de l'index et visa un cocotier qui bordait la plage. Tout le monde retint son souffle. Il y eut comme un froissement et, jaillissant du canon de l'arme, un mince pinceau bleuâtre vint frapper le tronc à sa base. L'arbre frémit et s'abattit dans le sable avec un craquement sec.

—C'est une bonne arme, commenta Élie d'un ton calme. De plus, elle est à recharge solaire et ne nécessite donc aucune munition. Elle peut fonctionner ainsi pendant des années si on en prend soin…

Tout le monde se taisait. Seul Toupie souriait comme s'il venait d'entendre une bonne blague. Son fin visage triangulaire était plissé de rides malicieuses.

—Eh bien, ça règle le problème, annonça-t-il. Je

n'imagine pas de meilleur bâton de commandement que ce jeteur de foudre. Pour ma part, je ne me vois pas en train de discuter les ordres de l'individu qui manipule ce type de martinet ! Ce sera quoi pour ton service, Élie ?

Le garçon blond se détendit :

—Merci Toupie, tu seras mon premier lieutenant…

Toupie eut une grimace négative.

—C'est beaucoup d'honneur, Excellence, mais je n'aime pas les responsabilités. Je crois que Tiggy fera mieux l'affaire que moi. Pour une fille, je trouve qu'elle se débrouille plutôt bien. Ceux qui la trouvent un peu « grosse » ne regardent peut-être que sa poitrine, pas vrai les jumeaux ?

—Toi, petit avorton, on te fera regretter tes plaisanteries, gronda un des frères en faisant un pas en avant.

Élie s'interposa :

—Ça suffit ! Les disputes de gamins ne nous mèneront à rien. Nous ferons comme j'ai dit. Demain nous construirons un radeau pour nous rendre sur les lieux du crash. Notre but est de reprendre contact avec la civilisation, avec ou sans balises de détresse. Dans l'immédiat, nous allons installer un campement sous le couvert de ces arbres, en haut de la plage. Tout le monde retroussera ses manches, même les petits. En ce qui concerne la nourriture, nous nous partagerons dans un premier temps les rations de la trousse de Tiggy. Des questions ?

La jeune fille leva le bras comme si elle se trouvait

dans une salle de conférence. Élie hocha la tête pour lui donner la parole.

—Une suggestion plutôt… La trousse contient des produits permettant une analyse chimique de premier secours. Avec quelques petits qui ne seront pas bien utiles à la construction des cabanes, je me propose de collecter quelques fruits et des racines dans les environs pour voir si nous pouvons les manger sans danger.

—Accordé. Et maintenant, au travail ! Nous devons avoir des abris confortables avant la tombée du jour…

2

Première journée

L e chantier préconisé par Élie mobilisa toutes les énergies, et le travail fit oublier les aigreurs des premières disputes. D'un commun accord, on choisit d'établir le camp au pied d'une falaise proche, taraudée de fissures et de cavernes, où suintait une source d'eau douce. La roche assurait une première protection, qu'il suffisait de prolonger par des abris en branchages.

Le pistolet laser se révéla un outil précieux. À forte puissance, il tranchait les troncs les plus épais et retaillait même la pierre là où elle faisait obstacle. Réglé plus bas, il permettait d'enflammer les feuillages qui encombraient le chantier. Une clairière semi-circulaire fut défrichée tout autour du campement.

Élie manipulait son nouveau bâton de commandement avec une maîtrise grandissante. Moelo et son équipe, quant à eux, rivalisaient de démonstrations de force physique ou d'acrobaties en jouant aux bâtisseurs. Les petits qui n'étaient pas en mission d'exploration avec Tiggy tressaient les branchages pour en faire des couvertures étanches à la pluie.

Ils avaient tous suivi des cours théoriques sur les conditions de vie en air libre, mais c'était la première fois qu'ils les mettaient en pratique. Peu d'entre eux avaient vécu une averse tropicale ou une tornade comme il en existait sur Afgor la Verte. Tous savaient cependant que ces désagréments climatiques existaient, et qu'il fallait savoir s'en protéger. Aussi l'unité était-elle parfaite et, lorsque Tiggy revint avec son équipe, les bras chargés de fruits et de racines diverses, elle fut accueillie par une ovation.

—Je ne pense pas qu'on mourra de faim ici, annonça-t-elle, triomphante. Les Canaris ont récupéré des baies qui ont un goût de fraise, il y a des noix de coco en abondance, j'ai trouvé dans le sol des sortes de patates douces et Toupie a déniché à moins d'un kilomètre un arbre à pain dont il arrive à peine à transporter les fruits. Tous ces produits naturels sont très proches de ce qui pousse sur Afgor.

—Hourra !

Le cri fut unanime.

—Je pense qu'on va améliorer tout de suite les maigres rations de la trousse de secours, dit le grand Carner, le visage radieux. Je propose qu'on fasse un grand feu pour la popote.

—Ouais ! Un grand feu…

Dans un élan d'enthousiasme, il fit une bise à Tiggy, qui ne savait plus où se mettre.

—Ne t'en fais pas Tiggy, Carner, c'est l'amour du ventre ! railla Toupie qui venait de déboucher dans la clairière en ployant sous sa récolte.

La boutade fit rire tout le monde et on se mit en demeure d'allumer un grand feu dans la clairière nouvellement dégagée.

Un des deux soleils venait de se coucher et le second frôlait l'horizon en déposant sur la mer des reflets dorés. La pesante chaleur s'atténuait, et le jour finissant laissait flotter une douceur équatoriale traversée de senteurs sucrées. Ils s'étaient tous laissés tomber sur le sol, les jambes écartées, le torse nu, exhibant leurs égratignures et leurs coups de soleil. Certains dormaient déjà…

—Il faudra vous habituer à travailler habillés, fit remarquer Tiggy devant cette collection de peaux écarlates. À quelques exceptions près, nous ne sommes pas habitués à de telles doses d'ultraviolets dispensées par deux soleils.

—C'est un bon conseil de Tiggy, notre mère à tous, fit Élie avec un brin d'ironie.

Comme elle allait réagir, il lui prit la main en ajoutant tout bas :

—Laisse-les tranquilles, ils ont bien bossé…

Trois abris à peu près achevés s'adossaient à la falaise. Ils comportaient des volets et des portes de branchages. Des paillasses d'herbe sèche servaient de couchages. Avec un peu d'embarras on avait fini par installer

Tiggy avec Pelote dans un réduit attenant à la cabane des petits. Pour les garçons, les répartitions s'étaient faites par affinités, et presque toute l'équipe de Moelo logeait en communauté dans une grande caverne. Élie partageait sa case avec Toupie et Souris, qui avait profité de l'occasion pour s'éloigner de la nursery. Janis, enfant à la peau basanée qui faisait pourtant partie de la bande à Moelo, avait choisi de les rejoindre, l'esprit de groupe n'étant pas vraiment son fort.

Le chef avait allumé le feu central avec son pistolet, et ils attendaient maintenant que les fruits et les tubercules enfouis sous la braise soient cuits. Une demi-noix de coco évidée remplie d'eau fraîche circulait dans les rangs, et les conversations allaient bon train. Elles tournaient autour du chantier en cours, des aménagements à compléter et des petits incidents qui avaient émaillé cet effort collectif.

Les angoisses étaient calmées. Même les petits ne pleuraient plus. Quelques-uns cherchaient dans le ciel, où les étoiles commençaient à apparaître, le reflet d'Afgor la Verte. La paire de jumelles de Tiggy circulait de mains en mains, et on s'arrachait l'instrument pour avoir le privilège d'être le premier à découvrir la planète mère dans ce champ de lucioles.

Le repas fut réussi. Les fruits de l'arbre à pain avaient une consistance farineuse des plus appétissantes. Les dents s'enfonçaient avec un bel ensemble dans cette pâte fumante. Les patates douces, légèrement plus consistantes, eurent également un franc suc-

cès. Pour la bonne bouche, on se partagea religieuse-
ment les bâtonnets de protéines tirés de la trousse de
survie. Quelques larmes coulèrent à nouveau, car ce
genre de nourriture rappelait trop la cantine de Mentor.
Au dessert, des feuilles garnies de baies se distribuè-
rent dans l'assistance. Élie prit la parole à l'issue de ce
banquet exotique :

—Nous pouvons être fiers de notre travail d'équipe.
Les adultes, s'ils étaient présents, nous féliciteraient
pour notre énergie. Ce soir, nous dormirons à l'abri.
Mais la situation exige que nous prenions quelques
précautions. Nous sommes ici en terre inconnue… et
peut-être sur une base secrète des Arachnos.

Des murmures de crainte s'élevèrent à ce nom. Élie
leva la main en signe d'apaisement.

—Ce n'est qu'une hypothèse, mais il faut s'attendre
à tout. Je préconise une surveillance nocturne devant
le campement. Je suis prêt à prendre le premier tour.
Puis-je compter sur d'autres volontaires ?

Moelo leva la main le premier.

—Moi, je veux bien… Tu me prêteras ton arme ?

—Moelo, tu… s'indigna Tiggy en se redressant.

—Je te prêterai mon arme lorsque je sentirai que
nous formons une communauté unie, tendue vers le
même but, l'interrompit Élie. Pour le moment, et pour
parler franc, je ne te fais pas confiance, Moelo. Tu te
sens en position de force avec ton équipe, mais je ne
suis pas sûr que tu te rendes bien compte de la situation.

Les mâchoires du jeune garçon se crispèrent.

—Tout ce dont je me rends compte, c'est que nous sommes seuls ici. Les adultes n'ont-ils pas commis une faute impardonnable en nous laissant sans protection ? Tous ces professeurs, ces instructeurs, ces agents de sécurité, tous ces beaux parleurs qui nous jugeaient à leur convenance, où sont-ils à présent ?

Élie pâlit sous l'attaque.

—Ici ! dit-il en brandissant son arme.

Il y eut un long silence pendant lequel on entendit les craquements du feu, qui achevait de s'effondrer dans un cône de braise.

Le visage de Moelo s'adoucit. Derrière ses allures de taurillon fonceur, il savait être charmeur, avec des yeux de velours qui caressaient l'interlocuteur qu'il avait décidé d'amadouer.

—C'est toi qui es menaçant, glissa-t-il d'un ton mesuré. Après tout, je ne demande qu'un partage, non un privilège. J'assurerai mon tour de garde sans arme puisque tu ne me fais pas confiance, et tant pis pour l'efficacité !

—Parfait, je vois que j'ai été compris, conclut Élie en balayant nerveusement l'assistance du regard. Demain, nous tâcherons de repérer la navette engloutie dans le lagon. Avez-vous des suggestions à faire pour cette opération ?

Janis leva la main. Les manières policées de Tiggy semblaient faire des émules.

—Je suis bon nageur et je me suis entraîné dans la piscine à vagues de Mentor, dit-il en écartant de son visage la longue tresse qui balayait sa joue basanée. Si nous parvenons à construire un radeau suffisamment solide, nous irons sur les lieux du crash et je me propose de plonger jusqu'au vaisseau. Je tiens un peu plus de deux minutes en apnée, ce sera suffisant pour atteindre le fond, qui ne doit pas être à plus de quinze mètres de profondeur.

—C'est une bonne idée, et j'accompagnerai Janis, dit Carner.

Carner, tout en étant le second de Moelo, inspirait une sympathie immédiate. C'était un grand gaillard, taillé précocement en adulte. Son visage carré, ses yeux bleus respirant la franchise, son corps arrivé à maturité dégageaient une impression de force et faisaient presque croire à cette bande d'enfants perdus qu'ils n'étaient pas laissés à eux-mêmes.

—Si Carner est de la partie, nous plongeons avec lui, firent en chœur les jumeaux, Kort et Vort, unis dans la même adhésion fervente.

Élie hocha la tête.

—Parfait… Je vois que les amateurs ne manquent pas, mais ne confondez pas tout de même la mer avec la piscine profonde de Mentor. L'exploration d'une épave est toujours dangereuse, et je ne veux pas que vous preniez des risques inutiles.

—OK, chef ! fit Carner avec une petite caricature de salut militaire. On en reparlera demain, sur place…

3
Plongées dans le lagon

Les deux soleils frôlaient la cime des arbres agitée par une brise marine matinale et laissaient encore pour quelque temps la plage à l'ombre. Les réalisations de la veille avaient enflammé les bonnes volontés. Personne n'avait tardé à se lever.

À l'aide de son pistolet laser, Élie sectionna une vingtaine de rondins d'un bois léger ressemblant à du balsa. L'ensemble fut relié par des lianes de chanvre et muni de deux balanciers pour assurer sa stabilité. Très rapidement, des poignes vigoureuses mirent le radeau à l'eau dans le lagon, plus agité que la veille.

La manœuvre se révéla délicate, et plus d'un marin improvisé but la tasse avant de réussir à faire franchir la première barre de vagues à la rustique embarcation chargée d'une demi-douzaine d'occupants. Les rameurs, munis de pagaies rudimentaires, avaient toutes les peines du monde à lutter contre un puissant courant qui les ramenait vers le rivage. Ce que l'œil embrassait d'un regard était loin d'être à la portée de cette navigation hasardeuse.

Ils revinrent à terre et tentèrent d'améliorer leur esquif en lui adjoignant un gouvernail, une dérive et une ancre primitive formée d'une grosse pierre lestée. Certains proposèrent de donner leur tee-shirt pour réaliser une voile de fortune, mais Tiggy refusa ce sacrifice en rappelant les coups de soleil de la veille.

La deuxième tentative fut plus probante. Le radeau franchit la zone des courants et se stabilisa à une centaine de mètres de la plage. Les jumelles plongées dans l'eau se révélèrent un bon outil d'exploration des profondeurs marines. Malheureusement, elles ne laissaient voir que des fonds grisâtres, des eaux totalement dépourvues de poissons et de longues prairies d'algues brunes se balançant dans le courant. Aucune trace de la navette. Plus inquiétant encore, une brutale brisure du lagon débouchant sur des fonds plus lointains laissait craindre que le vaisseau n'ait sombré dans des profondeurs abyssales, hors de portée de leurs efforts.

Élie dirigeait les opérations un peu au hasard. Il ne se sentait pas à l'aise au milieu des vagues. L'eau n'était pas son élément, et le tangage obsédant du radeau finissait par lui soulever le cœur. Janis et Carner plongeaient régulièrement et restaient de longues minutes sous la surface. Lorsqu'ils revenaient à l'air libre, ils faisaient de la main un petit signe désolé indiquant que l'objectif était toujours invisible.

À la fin de la matinée, Élie préféra rejoindre le bord. La construction des cabanes nécessitait sa présence, mais il était clair qu'il cherchait surtout un prétexte pour quitter le radeau.

Tiggy préparait le repas avec les petits qui voulaient bien lui apporter leur aide. Moelo, quant à lui, explorait la ligne des falaises qui bordait la plage. Il avait en tête un plan sportif qui mobilisait toute son attention. Il cherchait, en compagnie de Bardinn, un front de jeu lui permettant de pratiquer le palet, et la perspective de matchs futurs l'intéressait bien plus que les tentatives de localisation de la navette.

— Tu n'as pas l'air d'être dans ton assiette ! dit Tiggy à Élie en lui lançant un regard interrogateur.

Élie s'assit près du feu en poussant un soupir.

— Je suis un mauvais marin, voilà tout. J'ai toujours eu peur de l'eau. Tout le monde n'a pas l'aisance de Carner ou de Janis…

Tiggy le regarda, incrédule.

— Attends, Élie. Est-ce que tu essaies de m'expliquer que tu n'es pas Superman ?

— Je devrais pouvoir dominer cette peur, sinon je ressemble à quoi comme chef ?

Tiggy eut une grimace désapprobatrice :

— Tu es Élie, un garçon de quatorze ans, loyal et bon camarade, doué d'un solide sens de l'organisation et d'un peu d'imagination. Si tu flanches, je vais regretter de t'avoir donné le bâton de commandement.

— Tu pouvais aussi bien le garder pour toi…

— Essaie de faire fonctionner ta cervelle. Je suis une fille, et en minorité évidente. Ce n'est pas Pelote qui rétablira l'équilibre. Tous ces petits mâles ont des choses à se prouver. C'est un programme génétique qui échappe au raisonnement. Sur Mentor, oui, ils vont feindre de me trouver leur égale car le discours des instructeurs va dans ce sens, mais ici je ne suis qu'une empotée avec de gros nichons. Je cours moins vite qu'eux, je soulève des pierres moins lourdes qu'eux, je ne réfléchis pas comme eux et, en plus, je les dérange.

—Tu les déranges ? répéta Élie, un peu suffoqué par tout ce déballage compliqué.

Tiggy tisonna nerveusement le feu avec un long bâton de bois dur.

—Ne joue pas à l'imbécile, Élie. Tu as suivi comme tout le monde les cours d'éducation sexuelle. Moelo ne pose pas trop de problèmes…

—Carner ?

—Mais non, tu es aveugle. Carner est un enfant dans un corps de grand. C'est Bardinn qui est travaillé par ces trucs-là…

—Cette brute ? s'exclama Élie.

—Appelle-le comme tu voudras, mais n'oublie jamais, en tant que chef, que cette tension est bien réelle.

Comme pour ponctuer ce discours, Moelo et Bardinn rejoignirent la clairière à ce moment précis.

Bardinn jeta un regard lourd aux deux jeunes gens et alla mordre dans une patate douce qu'il avait tirée des cendres. Moelo exhiba une branche de bois dur incurvée à son extrémité.

—Salut les tourtereaux, lança-t-il. On discute boulot ? Les recherches avancent ? Vous avez vu mon arme ?

Il n'attendait pas de réponse à cette rafale de questions agressives.

—Pour moi, les recherches en mer sont du temps perdu, ajouta-t-il. La navette a disparu. Finie la chaloupe de l'espace, avalée par la mer, et avec elle tous les gentils organisateurs de nos avenirs. Il n'y a plus de grands. Ils sont morts ou absents. On ferait mieux de se faire à cette idée.

—Tais-toi Moelo, fit Tiggy, la bouche crispée.

—D'accord, ma grosse, mais laisse-moi te montrer mon propulseur. Chacun a le droit de posséder une arme ou faut-il un permis délivré par le chef ?

Moelo plaça une courte javeline, garnie à son extrémité d'une pierre tranchante, dans l'encoche de son bâton à lancer et, d'un geste vif, la propulsa. Le projectile partit avec une vitesse surprenante et vint se ficher dans le montant en bois de la cabane la plus proche.

—Joli, hein ? fit Moelo en allant contempler la javeline bien enfoncée dans le bois. Ce n'est pas aussi définitif qu'un laser, mais ça risque de s'enfoncer profond dans la chair. Pas vrai ?

—Tu es malade, Moelo, maugréa Tiggy.

—On sait que tu es un bon lanceur, commenta plus sobrement Élie.

Moelo les affrontait tous deux du regard. Un sourire sans joie errait sur ses lèvres minces.

—Et alors ? C'est bien vous qui disiez que nous étions

en guerre contre les Arachnos. Il faut savoir se protéger.

—Ouais, surtout que les armes efficaces semblent réservées à certains privilégiés qui ne savent pas forcément s'en servir, marmonna Bardinn, la bouche pleine.

Ses mâchoires s'activaient consciencieusement, donnant à son visage carré des allures de bouledogue engloutissant sa pâtée. Des filets de nourriture tiède glissaient sur son menton.

L'ambiance était électrique. Fort heureusement, une diversion vint de la mer. De loin, l'équipe du radeau faisait de grands signes en hurlant des messages qui ne leur parvenaient que par bribes.

—Ils ont repéré la navette au fond, finit par traduire Tiggy. Janis et Carner vont tenter de plonger…

Élie exulta.

—Ça y est. Nous allons pouvoir reprendre contact avec les nôtres !

Moelo haussa les épaules.

—Ce n'est pas encore fait. Nous ferions mieux de nous occuper du campement au lieu d'explorer ce cercueil englouti.

—Tu tiens donc si peu à revoir Afgor ? fit Élie en s'efforçant d'atténuer toute agressivité dans sa question.

—Bah ! Personne ne m'y attend, dit Moelo d'une voix morne. Mes parents ne m'ont plus fait signe depuis trois ans. Je me demande s'ils sont encore en vie… et après tout, je m'en fiche. La seule chose que je regrette, c'est le fronton du palet en microgravité de Mentor. Il est détruit à présent.

—Il y en a beaucoup d'autres dans les stations spatiales du système Gémini, fit remarquer Élie. Rien ne t'empêchera de jouer de nouveau devant ton public.

Moelo secoua la tête.

—C'est loin tout ça. Avec Bardinn, j'ai déniché une sorte de cirque rocheux à cent mètres d'ici. Il suffirait de le défricher pour en faire un bon terrain de jeu…

C'était une demande déguisée, et Élie donna son accord avec mesure.

—D'accord, Moelo, je m'en occuperai dès que possible, mais pour le moment nous avons des choses plus urgentes à régler.

—Comme tu voudras, fit Moelo dans un petit gloussement, mais pour dire vrai je ne vois rien de très urgent à faire sur cette plage du bout de l'univers.

Les choses en restèrent là, avec un ultime échange de regards chargés de défi. Un quart d'heure plus tard, le radeau revenait à terre. Les mines étaient déconfites.

—La navette repose légèrement trop au fond, annonça Carner, le front soucieux.

—Plus de quinze mètres, vingt peut-être, précisa Janis, que ses plongées répétées avaient épuisé. J'ai pu toucher l'épave et en faire rapidement le tour, mais je n'ai pas osé pénétrer à l'intérieur sans réserve d'air. C'est trop dur…

—Tu as bien fait, dit Élie en réfléchissant. Dans quel état est le vaisseau?

—Défoncé à plus d'un endroit. L'eau est assez trouble et la fosse, dont on ne distingue pas le fond, n'est pas loin. Il faut espérer que les courants ne vont pas l'y précipiter.

— C'est embêtant ! fit Élie en se caressant le menton.

— Ne fais pas semblant de réfléchir, dit Moelo, qui assistait à la scène avec un sourire narquois au coin de la bouche. Pour moi, c'est cuit. La navette est perdue, il faut se faire une raison.

— Reposez-vous et prenez le temps de manger, dit Élie comme s'il n'avait rien entendu. Dans l'après-midi, vous ferez une autre tentative.

— Comme tu voudras ! dit Carner en se laissant tomber avec une posture d'abandon.

Pelote s'approcha du garçon avec ses manières enjôleuses.

— Dis-moi, Carner, durant ta baignade, tu aurais pu ramener du poisson, ça nous changerait des patates et du lait de coco.

— Il n'y a rien au fond, ma petite Pelote, dit Carner avec un sourire patient, rien qui ressemble aux eaux d'Afgor et encore moins aux lagons de la Terre que j'ai vus à la tridi. C'est un désert gris avec juste quelques plantes marines qui s'accrochent aux rochers. Pas de poissons, aucune trace de corail. On ne devrait pas appeler ça un lagon ; c'est une sorte de plateau vide de vie avec des boues en suspension dans les courants. Plutôt sinistre comme coin…

— Alors, il n'y a pas d'animaux sur cette planète ? demanda la fillette.

Carner pointa l'index vers le ciel.

—Tu as vu des oiseaux, toi, depuis qu'on est ici ? Des taupes, des fourmis, des mouches, des papillons ?

—Non…

—Alors tu connais la réponse.

Pelote se redressa avec une mimique fière.

—Eh bien ! tant mieux. Je n'aime pas les mouches, ni les fourmis, et encore moins les araignées. S'il n'y a pas de vilaines bêtes ici, cet endroit me plaît.

—Ne te réjouis pas trop vite, petite idiote, dit Bardinn, il y a peut-être des Arachnos. Elles ont tout mangé et, si tu tombes entre leurs pattes, tu feras un beau festin !

Pelote poussa un cri de terreur et courut se réfugier dans les bras de Tiggy.

—C'est malin, Bardinn, dit cette dernière en caressant les cheveux de la petite avec des gestes apaisants.

—Ben quoi, si on peut plus rigoler… protesta le garçon, gouailleur. Tant que tu y es, donne donc la tétée à cette pisseuse, ça fera au moins un joli spectacle.

4

Nouvelles tentatives

Alors il n'y a rien à faire, d'après toi?

— Je crains que non, Élie…

Janis se laissa aller en arrière, calant sa tête dans son oreiller de fougères avec cette nonchalance naturelle qui ne le quittait que rarement. Le toit de palmes de la cabane était troué par endroits, laissant apercevoir le ciel nocturne. Aucune lune n'illuminait les nuits de cette planète, mais la voûte céleste se révélait si présente et les planètes proches si brillantes que l'obscurité n'y était jamais complète.

Toupie était couché un peu plus en retrait dans la grotte. Sans doute ne dormait-il pas. C'était un garçon qui aimait écouter. Souris, pour sa part, était loin dans ses rêves. Ses petits gémissements étouffés trahissaient quelque cauchemar de passage.

—C'est vraiment trop profond? insista Élie à voix basse.

—Pas vraiment trop profond, mais les ouvertures dans la coque sont déchiquetées et encombrées. Le plongeur risque à tout moment de rester coincé. Carner est le seul à pouvoir m'aider, mais ces apnées répétées sont épuisantes. Tu te vois à l'intérieur de cette tombe avec une vingtaine de secondes pour retrouver la sortie ?

—Non, Janis, je ne m'y vois pas, avoua Élie. Tu sais bien que je suis un mauvais nageur.

—Ne t'excuse pas…

Il y eut un long silence pendant lequel une étoile aux reflets vacillants vint s'inscrire dans une ouverture du toit.

—Et Moelo ? Il ne peut pas vous aider ? demanda Élie.

—Si, bien sûr. Moelo sait à peu près tout faire. Il est sans doute même meilleur que moi dans l'eau, mais il n'a pas envie de t'aider…

—Il m'a demandé cet après-midi de dégager un espace de jeu…

—Un bon conseil : laisse-lui ça…

—Et pourquoi leur faire plaisir, à lui et à cet imbécile de Bardinn ? s'indigna Élie. Tu vois comment ils nous parlent, à moi et à Tiggy ?

—Eh, du calme ! N'oublie pas que ce sont mes copains…

Élie se sentit soudain très seul. Si cela se trouvait, Janis n'était qu'un mouchard de la bande qu'on avait placé dans sa cabane. Seule Tiggy semblait une alliée sûre, mais elle était à l'écart avec les petits et là, pour le moment, il avait besoin de réfléchir tout haut.

—Moi, j'ai peut-être une solution, fit la voix de Toupie dans l'obscurité.

—À quoi ? s'enquit Élie.

—À ce problème d'air. On peut imaginer des sortes de cloches de plongée. De quoi tenir une ou deux minutes de plus au fond.

—On n'a strictement aucun matériel, rétorqua Élie.

—Mais si, ton bâton de commandement. Avec ton pistolet, on pourrait couper des calebasses. Bien maintenues avec des fils de chanvre, elles formeraient une collection de petites cloches remplies d'air. Il suffirait de les lester convenablement et de les immerger à proximité de l'épave.

—C'est dingue ! commenta Janis avec indifférence en se tournant dans son lit pour dormir.

Élie mit les mains sous sa nuque et regarda par l'ouverture du toit l'endroit du ciel où était supposé se trouver Afgor.

—D'accord, Toupie, je vais t'aider à réaliser ton système ; je le ferai en même temps que je dégagerai l'aire de jeu pour Moelo.

—Enfin une parole sensée, soupira Janis en commençant à ronfler.

Une petite pluie nocturne avait lavé l'atmosphère. Le ciel était limpide, et l'air chargé d'odeurs nouvelles. Les hauteurs boisées et les pans de montagne dans l'intérieur des terres semblaient soudain tout proches, presque apprivoisables.

Le moral de la petite troupe était au beau fixe. Surtout qu'Élie, bon prince, avait décidé de mettre son pistolet laser au service des projets de Moelo.

L'endroit déniché par le capitaine de l'équipe de palet était singulier et semblait presque construit de main d'homme. Une falaise de basalte, légèrement incurvée, offrait un fronton naturel d'une verticalité presque parfaite. L'outil d'Élie entra aussitôt en action. Les enfants poussaient des cris d'enthousiasme à chaque tronc qui s'abattait. Tiggy avait toutes les peines du monde à retenir les plus excités, qui couraient au-devant des arbres en train de chuter. Le travail de défrichage fut complété par un grand feu qui ravit l'assistance.

Armée de pioches et de pelles bricolées, l'équipe de Moelo se chargea d'aménager une esplanade à peu près horizontale devant le fronton. Le travail avançait vite, et Élie en conçut quelque amertume.

— Ils y mettent vraiment de l'huile de coude, fit-il remarquer à Tiggy qui l'avait rejoint.

— C'est normal. Ils travaillent pour des plaisirs futurs, toi tu ne leur proposes que des corvées…

Élie tiqua.

— C'est une critique ?

— Non, tu as pris une bonne décision. Un chef doit savoir favoriser des initiatives dont il n'est pas à l'origine. Si ça peut calmer Moelo, Bardinn et les autres…

Élie la mit rapidement au courant de l'idée de Toupie. Tiggy l'écouta attentivement, mais resta dubitative.

— Bien imaginé, mais c'est très théorique. Je vois

mal comment ces cloches d'air instables réagiront en pleine mer.

—Ça vaut la peine de tenter le coup, non ?

—Oui, mais sans t'engager toi-même. C'est une idée de Toupie. Si l'entreprise échoue, tu ne seras pas directement impliqué.

Élie la dévisagea, interloqué.

—Qu'est-ce que tu essaies de m'apprendre, là ?

—La politique, Élie. La politique…

Dans la journée, les deux équipes, engagées sur des théâtres d'action éloignés, se livrèrent à des occupations diamétralement opposées. Les plongeurs testèrent en vain le système de respiration en profondeur de Toupie, l'équipe de Moelo installa des sortes de gradins sur le pourtour du fronton, tout en promettant un grand match pour le lendemain.

La chaleur de la veille avait fait place à une agréable ambiance marine avec un petit vent vif qui rendait la caresse du soleil souhaitable. Le repas du soir fut particulièrement gai autour du feu central. Moelo et ses copains faisaient des petits tours d'acrobatie et jouaient à défier le brasier en le traversant de part en part avec de grands cris sauvages.

—On s'amuse mieux que sur Mentor, jeta Pelote, qui improvisait des pas de danse sur le sable.

Les petits frappaient des bouts de bois dur ensemble et improvisaient des rythmes spontanés qui entraînaient des claquements de mains unanimes.

—Je crois que ce n'est guère le moment de parler d'une nouvelle « corvée », glissa Élie à Tiggy, qui était assise à ses côtés avec un des Canaris dans son giron.

—Quel genre de corvée ?

—La construction d'une palissade pour protéger notre campement.

Tiggy fit la moue.

—Là, c'est le bide assuré. À supposer que nous courions un danger, il ne pourrait venir que d'une patrouille arachnos, et ce n'est pas une ligne de pieux plantés dans le sable qui l'intimiderait.

—Mais nous ne connaissons rien de cette planète, se défendit le garçon. Il y a peut-être d'autres dangers que les Arachnos. Nous nous comportons comme des enfants.

—Nous *sommes* des enfants, Élie…

Il eut soudain envie de laisser couler des larmes d'impuissance. Ce fut comme une boule brûlante qui se coinça dans sa gorge avant de remonter irrésistiblement jusqu'à lui picoter ses yeux.

—C'est pour cette raison… qu'il faut… retrouver les balises de la navette… et appeler au secours, articula-t-il péniblement.

Tiggy haussa les épaules sans remarquer l'émotion d'Élie et alla s'occuper du repas qui, pour une fois, mobilisait une demi-douzaine de volontaires. Un peu plus tard dans la soirée, alors que la nuit commençait à tendre son velours bleuté dans le ciel dégagé, Janis vint trouver Élie qui arpentait nerveusement la plage.

Depuis leur conversation de la veille, une forme de collaboration s'était établie entre eux.

—Le système de Toupie est ingénieux en soi, expliqua Janis, mais il est mal conçu. Ce n'est pas facile de bricoler quelque chose de solide avec des lianes et des perches de bambou. Rien ne tient. Il nous manque des vis, des pièces de métal, des morceaux de plastique. Bref, tout ce que nous avons l'habitude de manipuler.

—Il faudra recommencer jusqu'à ce que ça marche.

—Tu y tiens vraiment?

—À toi de voir si tu préfères t'entraîner pour le match de palet de demain ou si tu choisis de te rendre utile.

Janis encaissa l'attaque et sa bouche se crispa dans un pli boudeur. Mais il reprit rapidement son allure dégagée.

—Tu crois qu'on va rester ici longtemps? demanda-t-il pour faire diversion.

Élie jeta une pierre au loin d'un geste impatient. Le projectile fit un gros plouf dans l'eau lisse du lagon.

—Tout le temps qu'il faudra pour devenir adultes. Si nous n'agissons pas… Si nous ne retrouvons pas les balises…

Janis écarta une mèche de son front. Très soucieux de son apparence, il tressait toujours de très près ses longs cheveux couleur de jais, mais les bains de mer répétés avaient dérangé ses habitudes soignées.

—Je n'ai pas envie de moisir ici, jeta-t-il d'une traite. Même avec la mer et la plage, ça manque de distractions. Les pilotes ont sûrement activé les balises de détresse avant le crash. C'étaient de bons professionnels, non ? Dans moins d'une semaine, une navette de secours viendra nous tirer de là…

Élie se mordit les lèvres.

—Tout s'est passé très vite à partir de notre départ de Mentor. Le pilote a sûrement été grièvement blessé pendant le saut, sinon nous n'aurions pas fait un atterrissage en automatique. Où places-tu les quelques secondes nécessaires à l'émission d'un message de détresse ? J'ai beau retourner tous ces éléments dans ma tête, je ne vois que des sujets d'inquiétude.

Janis se leva et alla chercher un fruit sec ressemblant à une datte, qu'il mâchonna distraitement.

—Tu es plutôt du genre pessimiste… D'accord, on reprendra les plongées demain, mais essaie de trouver des gens capables de tresser des lianes et de faire des nœuds qui tiennent…

5
Explorations

L a journée du lendemain promettait d'être aussi paradisiaque que celle de la veille. La petite brise était tombée. La mer étalait son miroir impavide sous le ciel débarrassé de tout nuage. Les jeunes Robinsons avaient pourtant eu de la peine à émerger. Les petits dormaient à poings fermés. Élie surprit la sentinelle en train de somnoler devant le feu qui achevait de se consumer.

Les jours sur cette planète étaient de dix-sept heures, ce qui imposait un rythme auquel les enfants n'étaient pas encore habitués. Ils se reposaient trop peu comparativement aux efforts consentis durant la période diurne, rallongée par de longues veillées.

Élie se promit d'établir un nouveau calendrier et de régler sa montre électronique sur ce nouveau cycle. Il avait mal dormi et sa bouche était pâteuse. Il lui manquait le grand bol de chocolat au lait qu'il avalait sur Mentor pour commencer sa journée. Les fruits ne lui disaient rien, et une lampée d'eau fraîche avant d'aller faire sa toilette aux sources d'eau douce encore moins.

Il trouva Tiggy sur les lieux, en train de se laver la tête. Elle s'était confectionné un peigne primitif dans un morceau de palme et lissait sa lourde chevelure rousse qu'elle laissait tremper dans la mare, au pied de la falaise.

—Oh, pardon! dit Élie en s'apprêtant à faire demi-tour.

—Tu ne me déranges pas, Élie. As-tu passé une bonne nuit?

—Pas trop…

Le tee-shirt trempé collait à la poitrine de la jeune fille, soulignant ses formes généreuses. Le garçon rougissant ne savait plus où poser les yeux.

—J'espère que je ne t'ai pas vexé hier soir…

—Non, penses-tu, protesta-t-il maladroitement, je suis parfois un peu idiot. Cette idée de palissade protectrice… Je dois être obsédé par la sécurité.

—Tu es le chef. C'est difficile de réfléchir pour les autres…

—Pour *toi,* je suis le chef, précisa-t-il. Je n'ai pas l'impression de faire l'unanimité.

—Tu n'es pas obligé de jouer au grand frère protecteur. Un bon conseil pour aujourd'hui : laisse tout le monde se débrouiller. Chacun sait ce qu'il a à faire. Carner dirigera les plongées et Moelo réalisera son rêve de stade de palet. Pour notre part, nous pourrions entreprendre une expédition vers l'intérieur des terres en compagnie de quelques volontaires, ta présence ici n'étant pas nécessaire. Tu as le mal de mer, et les défis sportifs ne t'intéressent pas.

Élie resta sans voix devant cette initiative qui illuminait la journée d'une lumière toute nouvelle.

—Alors, qu'en penses-tu ? insista-t-elle en ramenant ses cheveux mouillés en chignon sur le sommet de la tête.

Il avala sa salive, juste capable d'émettre un grognement ravi :

—Épatant ! Vraiment épatant !

L'expédition suggérée par Tiggy ne dérangea personne lorsqu'elle fut exposée à la communauté. L'absence d'Élie semblait au contraire soulager tout le monde. Toupie et Souris se proposèrent de les accompagner. Carner et Moelo prirent aussitôt la direction de leurs opérations respectives et, un peu plus tard, les quatre marcheurs quittèrent, dans l'indifférence générale, la plage déjà bourdonnante d'activité.

La progression n'était pas aisée. Une épaisse végétation vierge multipliait les obstacles : troncs renversés, épais taillis de fougères arborescentes, ronces tombant en pluie des frondaisons et s'accrochant férocement aux cheveux. Élie utilisait de temps en temps son pistolet comme une machette pour écarter les obstacles les plus difficiles à franchir, mais même cette méthode brutale n'était pas sans danger. De nombreuses espèces végétales développaient des cosses dotées de puissants ressorts, sans doute pour compenser l'absence d'insectes ou d'oiseaux capables de disséminer les graines au loin. Au moindre choc, ces véritables grenades végétales explosaient, projetant en tous sens une grenaille de semences coupantes. Toupie avait déjà remarqué ces ingénieuses bombes forestières et s'en méfiait comme de la peste. Chaque fois qu'il apercevait une espèce dotée de ce type de fruits, il préconisait un large détour.

—Je tiens à mes yeux ! précisait-il, le nez plissé de crainte.

Souris se montrait un compagnon discret et volontaire. Son envie de ressembler aux grands, qu'il avait le privilège d'accompagner, le rendait silencieux et concentré. Pas une plainte ne lui échappait, et il se contentait de pincer les lèvres quand des épines se fichaient dans la peau de son cou ou de ses cuisses.

Après deux heures d'une marche harassante, Élie préconisa une petite halte sur un promontoire rocheux. Ils avaient atteint le sommet de la ligne des falaises. L'air était plus frais et des nuages s'effilochaient sur les crêtes proches. Aussi loin que pouvaient porter leurs regards vers l'intérieur des terres, ce n'était qu'un interminable moutonnement de forêt triomphante.

—Si nous sommes sur une île, elle est immense, commenta Tiggy. Je pencherais plutôt pour un continent. Regardez… on aperçoit une autre chaîne de montagnes à l'horizon.

En effet, on distinguait une lointaine succession de pitons, enneigés et suspendus dans un halo bleuté. Certains, couronnés d'un panache de fumée, étaient des volcans en activité.

—Ça doit faire au moins six mille mètres de haut, peut-être plus, estima Élie, impressionné.

Le fait d'être en bordure d'une étendue sans fin jouait contre eux, rendant leur colonie plus difficilement repérable pour un observateur aérien. Plutôt que de continuer à s'enfoncer dans cette immensité, ils préférèrent rejoindre la côte en utilisant un autre itinéraire. Tiggy en profita pour ramasser des échantillons végétaux pendant que Toupie s'intéressait aux bambous et aux bois durs pour la confection d'outils et d'armes.

À proximité de la côte, ils découvrirent un éboulis de pierres aux arêtes vives.

—C'est une roche siliceuse très dure, sans doute d'origine volcanique, dit Élie. Autrement dit, du silex. Nous allons pouvoir en faire des outils tranchants pour couper le bois ou casser les noix de coco.

—Ou pour faire des pointes de flèche, suggéra Souris, qui avait déjà rempli son sac d'une collection de cailloux.

Élie eut une moue.

—Je n'aime pas trop l'idée d'armer notre petite bande d'excités, mais je suppose que c'est inévitable. Moelo a déjà prouvé qu'il ne supporterait pas longtemps d'être désarmé alors que je porte un pistolet à la ceinture.

—Si ça peut rassurer les sentinelles… glissa Souris, qui semblait tenir à sa proposition.

—De toute façon, je vois difficilement comment empêcher les garçons de se fabriquer des lances ou des arcs, concéda Élie sans enthousiasme.

À quelques kilomètres du campement, alors qu'ils

étaient pratiquement en vue de la plage, ils découvrirent un coin secret, caché au fond d'une ravine : une retenue d'eau douce formant un bassin naturel d'une bonne profondeur. Son pourtour était garni de belles roches lisses qui empêchaient la végétation de s'accrocher sur la berge.

—Ouah, quelle piscine ! s'exclama Toupie, les yeux brillants.

Sans demander l'avis à personne, il se déshabilla et piqua une tête dans l'eau limpide. Il reparut à la surface pour s'ébrouer avec volupté.

—Elle est délicieuse, les amis ! Je vous conseille d'en faire autant…

Souris l'imita le premier. Élie et Tiggy hésitèrent un moment. Ce fut la jeune fille qui sauta le pas. Elle se débarrassa de tous ses vêtements sans faire de manières, mais courut bien vite cacher sa nudité dans le bassin.

Ils étaient maintenant tous les quatre dans l'eau et gloussaient d'aise. C'était un moment d'harmonie et de jeu. On éclaboussa un peu Élie, qui maintenait avec raideur son menton hors de cet élément qu'il apprivoisait si mal. Il finit par se dérider aussi et fit quelques brasses dans la cuvette. L'eau était transparente et on apercevait distinctement les galets clairs qui garnissaient le fond, à plus de cinq mètres de la surface. Toupie plongea et ramena une poignée de cailloux plats parfaitement polis.

—On dirait des pièces de monnaie, s'exclama-t-il en reprenant son souffle.

Élie revint au bord pour examiner la trouvaille du plongeur. Il enfila très vite son caleçon et se laissa sécher par les soleils généreux qui descendaient vers la mer.

—C'est vrai qu'on dirait des crédits d'Afgor. Il suffirait de les marquer, par exemple au laser, pour en faire de l'argent que nous pourrions utiliser dans notre communauté.

Toupie, tout nu, le rejoignit avec un sourire narquois.

—Le chef n'arrête jamais de cogiter! lança-t-il. Que ferions-nous de crédits sur cette plage? Des affaires? Des économies pour nous payer le billet de retour?

—L'argent fait partie intégrante de notre mode de vie civilisé, décréta sentencieusement Élie. Il permet à celui qui en a plus que les autres d'acheter par exemple du temps libre. Tu devrais comprendre ce raisonnement, toi qui aimes tellement musarder.

—Dans l'absolu, il a raison, intervint Tiggy qui, dès sa sortie de l'eau, s'était rhabillée. Si tu fabriques par exemple un beau marteau à Carner, il te l'achètera et tu pourras payer quelqu'un d'autre pour faire le ramassage des patates douces à ta place. Et moi, j'éviterai peut-être de faire systématiquement la cuisine…

—Ah, vu sous cet angle! fit Toupie, séduit.

—Ça, c'est la théorie, nuança-t-elle en lissant ses cheveux dénoués. Dans la pratique, je crains que nous ne manquions un peu de discipline…

—On peut essayer! jeta Toupie. Je vais ramener encore quelques poignées de ce trésor. Élie imprimera un signe au laser, c'est une trace inimitable. Il n'y aura pas de fausse monnaie possible.

—Sauf pour celui qui possède le pistolet, glissa Tiggy.

—Tu me crois capable… commença Élie, indigné.

—Sûrement pas, mais ça va être perfidement suggéré par Bardinn ou par un des jumeaux.

Élie réfléchit un instant.

—Il n'y a qu'à faire une série limitée devant témoins. Si, plus tard, il naît un soupçon, on pourra compter la totalité de l'argent en circulation. Le total devra être égal ou inférieur au premier tirage.

—Ouais, ça se tient, émit Souris, ravi de prendre cette décision historique en si bonne compagnie.

En arrivant au campement, le cœur dilaté par tous ces projets, les quatre explorateurs eurent droit à une douche froide.

—Carner s'est blessé en explorant l'épave, annonça Moelo, le visage mauvais.

Élie blêmit. Dès le début, il avait craint ce genre de scénario car, à part la trousse miracle de Tiggy, la petite colonie de Robinsons ne disposait d'aucun des secours médicaux si naturels sur Mentor. Même une simple rage de dents poserait problème.

—Blessé comment ? questionna-t-il d'une voix blanche.

—Il te le dira lui-même, jeta Moelo en tournant les talons.

Ils trouvèrent Carner installé dans le cirque rocheux où les préparatifs du fameux match de palet imaginé par Moelo suivaient leur cours. Il était assis un peu à l'écart, la nuque appuyée contre un tronc, les traits marqués par la douleur.

—Qu'est-ce qui t'est arrivé? demanda Tiggy.

—Ça! fit Carner en dévoilant sa jambe droite.

Une vilaine plaie bleuâtre déjà suppurante courait sur la face externe de sa cuisse.

—Tu t'es blessé sur une tôle déchiquetée de la navette? s'enquit Élie alors que Tiggy courait chercher sa trousse dans sa cabane.

—Non justement, c'est arrivé en eau libre alors que je venais de plonger. J'ai noté comme la caresse d'une algue. Ça m'étonnait vu que j'étais loin du fond et, tout à coup, j'ai senti une sorte de coup de couteau, suivi d'une forte sensation de brûlure. J'ai cru voir un ver qui se tortillait.

—Un ver? Tu es bien sûr que tes sens ne t'ont pas trompé? Tu sais bien que ces eaux sont vides…

Carner s'énerva:

—Puisque je te le dis. Je n'ai pas l'habitude de raconter des craques! C'était un petit serpent ou une larve aquatique. La chose a frappé et a disparu vers le fond.

Tiggy revint. Elle nettoya la plaie et fit deux injections autour de la blessure. Ses gestes étaient sûrs. Elle termina ses soins en bandant la jambe de Carner avec une bande de gaze imprégnée de désinfectant. Cela se voyait qu'elle suivait des études de médicobiotech.

— C'est tout ce que je peux faire pour le moment. Est-ce que tu as mal? Je peux te donner quelques cachets et…

— Laisse ça, dit Carner. Mets-les de côté pour les futurs bobos des petits, et maintenant fichez-moi la paix…

Il semblait plutôt souffrir de sa faiblesse présente. La perspective d'assister au match de palet depuis le banc de touche le mettait de très mauvaise humeur.

Une fois à l'écart, Élie se tourna vers l'infirmière.

— Qu'en penses-tu?

— Rien de bon, répondit Tiggy avec une grimace. Ce n'est pas une blessure franche, on dirait plutôt une brûlure ou l'action d'un venin. Elle s'est infectée presque aussitôt. J'ai fait ce que j'ai pu. On y verra plus clair demain.

— Il a dû commettre une imprudence au fond, mais il ne veut pas avouer sa maladresse, insista le garçon.

— Ça m'étonnerait. La plaie n'est pas une coupure…

Élie leva les yeux au ciel, excédé :

— Quoi qu'il en soit, cet accident va être un prétexte commode pour abandonner l'exploration de l'épave. J'entends d'ici les récriminations de Moelo.

— Juge-le plutôt sur ses actes, conseilla Tiggy, et va donc te reposer un peu avant les festivités de ce soir. Tu as l'air d'un sauvage…

6
Le match de palet

es torches avaient été disposées tout autour de la surface de jeu. Quelques troncs formaient des gradins en surplomb. En cette fin d'après-midi, le temps était calme, légèrement brumeux, figé dans un silence de coton que même le faible ressac de la mer ne parvenait pas à briser.

Les joueurs s'étaient enduit le torse et le visage de peintures réalisées avec des pigments végétaux, du charbon de bois et de l'argile humide. Les motifs colorés distinguaient nettement les deux équipes en présence.

Avant d'apparaître en public, Élie avait raccommodé ses vêtements déchirés et peigné ses cheveux en désordre. Ce fut donc un jeune homme d'aspect civilisé qui s'adressa à l'assemblée avec une solennité qu'il jugeait de circonstance.

—Je sais que vous êtes soucieux et troublés par ce qui vient d'arriver à notre camarade, commença-t-il à voix basse pour forcer les conversations à s'arrêter.

Puis, se tournant vers Carner, assis à quelques mètres de lui, il ajouta :

—Il a tenu lui-même à ce que ces jeux se déroulent comme prévu. Nous espérons qu'il prendra plaisir à admirer les exploits de ses coéquipiers, et nous lui souhaitons également de retrouver au plus vite sa belle vigueur...

—Il parle bien... s'extasia Pelote qui s'était placée au premier rang pour arborer les couleurs de son équipe favorite.

—Ouais, il s'y croit et joue vraiment au président, nuança Bardinn d'un ton fielleux.

—Je devine que vous vous posez tous des questions sur l'exploration de l'épave qui est, comme le prouve l'accident de Carner, périlleuse, mais elle est plus que jamais d'actualité...

—Ce n'est pas toi qui t'y colles, objecta un des jumeaux.

Élie ignora l'interruption et poursuivit :

—Au cours de notre exploration d'aujourd'hui, nous avons constaté que nous sommes sur le rivage d'un territoire immense, sans doute un continent. Les recherches pour nous repérer depuis le ciel seront donc difficiles, et il est urgent de savoir si les balises de secours de la navette ont été activées...

Comme des murmures impatients commençaient à s'élever, Élie sortit sans hésiter son bâton de commandement et tira une salve laser dans les airs. Le sifflement puissant de l'arme fit taire les protestations naissantes.

—Mais il y a maintenant une nouvelle raison d'explorer la navette, insista Élie en haussant le ton. Il faut trouver d'autres trousses médicales pour soigner notre camarade Carner.

—Ou d'autres pistolets laser, ironisa Moelo qui arborait son maquillage de félin avec arrogance.

—Pourquoi pas, répliqua Élie. Si nous restons unis, nous n'avons pas à craindre d'être mieux défendus.

Moelo souriait d'un air provocateur en bombant le torse, et Élie se dit, à ce moment précis, qu'il avait bien peu de poids face au capitaine de l'équipe de palet.

—Eh bien, c'est d'accord, « chef », dit le capitaine en grand seigneur. Je prendrai la place de Carner sur le radeau. Je ne me débrouille pas mal non plus dans l'eau…

Sa surprenante proposition fut accueillie par une ovation. Il enchaîna en levant les bras en signe de triomphe.

—Si, au lieu de continuer ces parlottes, on s'amusait un peu ? cria-t-il en donnant un formidable coup de batte à la petite balle tressée qu'il avait jetée en l'air.

Le projectile frappa la paroi de la falaise avec un bruit mat et revint au milieu du terrain où l'attendait un joueur de l'équipe adverse. Le jeu avait commencé, et les six garçons en présence y mettaient déjà toute leur énergie. Ce n'était pas aussi spectaculaire qu'en microgravité, où les champions faisaient parfois des bonds de dix mètres, mais la lutte était si farouche dans les nuages de poussière que soulevaient les pieds en action que le public retint son haleine. Aucune équipe ne voulait voir la balle rebondir deux fois au sol et concéder ainsi le premier point. L'engagement était violent. En l'absence d'arbitre et de règles clairement définies en pesanteur normale, les joueurs n'hésitaient pas à se bousculer ou à se faire des crocs-en-jambe pour arriver plus vite sur la balle. Tous les coups semblaient permis, et le défoulement était total.

—Quelles brutes ! fit Tiggy avec une moue désapprobatrice.

—Ils ont besoin de prouver quelque chose, murmura Élie en secouant la tête. L'infirmerie va se remplir…

—Pas mal ton speech de tout à l'heure, glissa la jeune fille, mais tu aurais pu prendre un air moins cérémonieux et utiliser des mots plus simples…

—Tu sais, Tiggy, la « politique » ne s'apprend pas en un jour, répliqua Élie, mortifié.

L'équipe de Moelo venait de marquer le premier point. Le capitaine fit un petit tour de piste en brandissant deux doigts écartés en signe de victoire. Pelote lui lança quelques fleurs qu'elle tira de la tresse qui retenait ses cheveux. Moelo faisait équipe avec Bardinn et Goon, le distributeur, qui était une vraie anguille sur le terrain. Face à eux, Janis et les inséparables Kort et Vort paraissaient incapables de contenir les assauts de ce trio alliant ruse et force musculaire.

—Ils vont se faire laminer, commenta Tiggy, et, je l'espère, sans trop de casse.

—Pas sûr ! intervint Souris en spécialiste des jeux.

Janis est très rapide et les jumeaux se déplacent comme un seul homme. Ils sont quasiment télépathes devant un fronton.

—Je doute que cela suffise, dit Élie. Tu as vu comme Bardinn leur fait mordre la poussière ?

Comme pour lui donner raison, l'équipe de Moelo marqua un deuxième puis un troisième point presque coup sur coup. Le premier tiers-temps s'acheva sur ce score sans appel.

La deuxième période fut à l'avantage de l'autre équipe. La souplesse de Janis était proprement ahurissante, et ses longs membres souples donnaient l'illusion d'être élastiques tant il excellait à rattraper des balles largement hors de portée. Avec lui, les jumeaux faisaient merveille. Leur placement se révélait sans faille et, comme l'avait analysé Souris, chacun anticipait le jeu de son frère. Une parité au score récompensa leurs efforts.

Trois à trois ! Le dernier tiers-temps promettait d'être passionnant. Janis et ses coéquipiers avaient pris la mesure de leurs adversaires. Les charges sauvages de Bardinn ne rencontraient plus que le vide et il ne parvenait plus à « faire le ménage », comme il le disait souvent lui-même.

Janis marqua même un point audacieux dans un silence de mort. Le visage de Moelo se durcit. Le capitaine détestait perdre, c'était bien connu. Son jeu se fit plus dur, plus haché. Il renvoyait la balle avec une hargne grandissante et les règlements de compte se multipliaient sur le terrain.

—Ça va mal se terminer, s'inquiéta Tiggy.

En effet, une explication musclée opposait Bardinn à Janis, qui prétendait contester un service litigieux. Les deux garçons se faisaient face, les mâchoires serrées, les poings crispés. Il y eut un échange verbal tendu et quelques mimiques viriles, puis les deux sportifs se séparèrent, le front bas.

Curieusement, le jeu se calma après cet incident. Les échanges se firent moins hargneux et l'équipe de Moelo marqua les deux points de la victoire avec une apparente facilité peu avant la fin de la partie.

Le public était resté sur sa faim avec l'impression très nette qu'on lui avait volé le match. Il y eut des sifflets. Moelo trépignait sur place, ne sachant trop quelle contenance prendre.

—Ce jeu est nul en gravité normale, cracha-t-il, prêt à chercher querelle au premier venu.

Carner se leva en agitant les bras. Personne ne savait très bien s'il voulait féliciter le capitaine ou se joindre aux protestations. Il fit quelques pas chancelants sur le terrain et s'effondra brutalement.

On le porta sur une litière alors qu'il bredouillait des paroles incompréhensibles. Tiggy écarta les curieux et examina rapidement le malade.

—Il brûle de fièvre, murmura-t-elle à Élie.

—Non… gémit Carner. Je ne suis pas malade. Je vois clair…

—Il faut te reposer, dit Tiggy en lui essuyant le front, où perlait une mauvaise sueur.

—Laisse-moi… femme… bredouilla-t-il d'un air

hagard. Nous avons commis une faute! Nous avons laissé les deux adultes qui nous ont sauvé la vie sans sépulture décente. Maintenant, leurs fantômes hantent les eaux du lagon. Nous sommes maudits…

—Calme-toi, Carner, s'empressa Élie. Nous reprendrons les explorations de l'épave demain, et tout rentrera dans l'ordre.

—L'ordre! Quel ordre? délira le blessé. Le tien, peut-être, ou celui de Moelo, qui ne supporte pas de perdre une partie de palet…

Moelo s'avança, la mine féroce, le torse luisant de sueur et les cheveux couverts de poussière.

—La ferme, Carner! Tu n'es pas en état de parler…

Carner poussa un long gémissement.

—Les eaux du lagon sont hantées… Méfiez-vous, car les esprits sont en colère…

Les petits écoutaient les divagations de Carner avec des yeux effarés. Plusieurs d'entre eux se mirent à sangloter de façon convulsive.

—C'est réussi! gronda Tiggy. Eh, vous autres, aidez-moi à le porter sur une paillasse. Je vais lui administrer un sédatif. Le dernier que je possède, d'ailleurs…

Un brouillard dense était monté de la mer pour envelopper le campement. La nuit pesait, sans le moindre clin d'œil céleste dans le ciel brouillé. Les différentes équipes avaient rejoint leurs abris respectifs. On avait installé Carner dans la cahute de Tiggy. Elle tenait à veiller personnellement le blessé, qui se trouvait dans un état d'agitation extrême.

Élie s'efforçait en vain de trouver le sommeil. Il entendait la respiration régulière de Souris, terrassé par les fatigues et les émotions de la journée, celles de ses deux autres compagnons étaient moins évidentes.

—Janis? s'enquit-il à mi-voix dans l'obscurité.

—Oui?

La réponse avait été immédiate.

—Tu as vraiment perdu ce match?

—Laisse-moi dormir…

—Que t'a dit Bardinn au juste?

—Rien qui te concerne, Élie. Tu ferais mieux de t'occuper de tes affaires.

—Il t'a menacé, n'est-ce pas?

Il y eut un long silence.

—Je ne serai jamais de ton côté, dit Janis d'une voix enrouée. Ce n'est pas parce que je dors dans ta cabane que je suis ton complice. N'oublie jamais ça…

Élie poussa un gros soupir.

— Bon, d'accord sur ce point-là, mais dis-moi au moins si nous avons une chance de pénétrer dans la navette.

—Le système de Toupie, surtout depuis qu'il est mieux lesté, n'est pas idiot. Il donne aux plongeurs une petite autonomie supplémentaire. Nous pouvons rester trois minutes au fond, mais c'est insuffisant pour franchir les tôles déchiquetées de la navette et pour en revenir indemnes.

Élie réfléchit tout haut :

— Il suffirait d'agrandir les ouvertures ou même d'éventrer le vaisseau.

La voix de Toupie s'éleva, soudain, très claire :

— Pourquoi ne pas utiliser le laser, Élie ? Ton arme fonctionne sous l'eau. Bon, il n'est pas très puissant, mais c'est peut-être suffisant pour ouvrir cette boîte de conserve.

— Ah ! Tu ne dors pas, toi, et tu écoutes aux portes comme d'habitude ! le taquina Élie.

— Non, je ne dors pas et je repense à notre projet de monnaie. Tu n'en as même pas parlé aux autres.

Élie se tourna dans son lit.

— Tu pourras t'en charger, mais essaie d'être convaincant... Moi, pour le moment, je suis fatigué !

7

Tempête sur le lagon

L'exploration de la navette prenait un tour nouveau grâce à la présence de Moelo, de Tiggy et
d'Élie sur le radeau. Cette fois, avec tout ce beau
monde à bord, les plongeurs avaient l'impression
qu'ils allaient obtenir un résultat. D'autant plus que la
navette risquait à tout instant d'être déstabilisée par les
courants et de glisser dans des profondeurs qui la ren-
draient définitivement inaccessible.

La brume qui avait enveloppé le campement la veille
ne s'était pas encore totalement dissipée, elle stagnait
à la surface du lagon et ne laissait entrevoir le ciel que
dans des trouées vite refermées. Dans le silence, le
bruit régulier des rames se répercutait en échos multiples sur les falaises de la rive. Élie s'efforçait de faire
bonne figure. Tassé dans un coin du radeau, il s'agrip-
pait aux rondins de balsa pour atténuer le léger tangage
qui agitait l'embarcation.

—Nous y sommes, dit Janis en désignant une bouée
de fortune constituée d'une bûche ancrée à l'emplacement de l'épave.

Pour lutter contre le froid, il avait pris l'habitude de bourrer son tee-shirt de paille de coco qu'il plaquait autour de son torse. Sa descente était également améliorée par une pierre tenant lieu de lest, qui lui permettait d'arriver au fond plus rapidement.

On immergea le dispositif imaginé par Toupie. La vingtaine de calebasses reliées par des liens de chanvre formaient autant de cloches renfermant une petite quantité d'air. Ce n'était pas énorme, le dispositif n'était pas sûr à cent pour cent, mais il se révélait suffisant pour soulager l'apnée prolongée des explorateurs sous-marins.

Penchée en avant du radeau, Tiggy plongeait ses jumelles dans l'eau pour repérer l'épave.

— On est à la verticale ! annonça-t-elle. Élie, ce serait le moment d'utiliser ton pistolet laser comme te l'a suggéré Toupie.

Élie rampa vers le bord du radeau. Il ne savait pas trop comment réagissait le laser en milieu aquatique. Le rayon était-il dévié par diffraction ? Les organes internes de l'arme supportaient-ils une immersion prolongée ? Il était un peu tard pour se poser ces questions théoriques, et toute la petite expédition attendait l'action miraculeuse du bâton de commandement. Il prit les jumelles de Tiggy et fouilla du regard les fonds marins.

La navette était une petite masse grisâtre lointaine, partiellement enfouie dans le sable. Inclinée à plus de trente degrés, en équilibre instable au bord de la fosse marine qui menaçait de l'engloutir, elle n'offrait que peu de renseignements à un observateur situé à la surface.

—Je ne vois pas trop sur quoi tirer, avoua-t-il avec un geste d'impuissance.

—Ce n'est pas le moment d'hésiter, gronda Tiggy à mi-voix. Essaie de frapper les zones de la coque déjà déchirées par l'impact du crash. On les aperçoit nettement. Elles ne sont pas tout à fait enfouies dans la vase.

Les regards anxieux convergeaient vers le chef. À cet instant, Élie regretta de détenir l'arme qui asseyait son autorité. Il n'y avait rien de plus hasardeux que cette décharge sous-marine lâchée au jugé, et pourtant tout le monde attendait un résultat. Il jeta un coup d'œil en direction du rivage. La plage était visible entre deux bancs de brume. Le reste de la colonie était assis dans le sable en rang d'oignons, les yeux tournés dans leur direction.

—Vas-y! lui conseilla Tiggy en lui donnant une bourrade amicale dans les côtes.

Élie s'appliqua, le visage à moitié plongé dans l'eau, le pistolet en ligne de mire au bout de son bras immergé. Il visa un point de la coque. La décharge provoqua un effet de recul qui le surprit et faillit le déséquilibrer. Il y eut un violent bouillonnement, le radeau fut ballotté en tous sens. Des nuages de boue montaient du fond, mais également des débris légers en provenance de l'épave.

—À mon avis, c'est bon, s'écria Janis les jambes ballantes dans l'eau.

Moelo, qui bouillait d'impatience, piqua une tête le premier. Janis lui succéda à quelques secondes d'intervalle. À partir de cet instant, l'attente parut interminable. Une minute… deux minutes… deux minutes trente secondes…

Moelo troua la surface de la mer en secouant ses cheveux. Il brandissait un petit objet métallique. Ce fut un délire d'enthousiasme. Janis resta au fond encore une bonne minute et revint à la surface en aspirant l'air avec frénésie. On le hissa à bord et on le sécha.

—J'ai pu pénétrer à l'intérieur, j'ai ramassé tout ce qui m'est tombé sous la main, dit-il lorsqu'il eut retrouvé son souffle. J'ai accroché ma cueillette aux cloches de plongée de Toupie. Il suffit de les remonter…

—Bravo ! le félicita Élie. Mais avant de replonger, vous allez un peu vous reposer.

Moelo sourit, vaguement méprisant.

—Ne t'en fais pas, « chef » ! On connaît nos limites et, de toute façon, il faut recharger les calebasses en air respirable car le courant a tendance à les retourner au fond.

L'équipe du radeau entreprit donc de remonter le dispositif imaginé par Toupie. La manœuvre, pourtant simple, prit du temps. Lorsque les calebasses lestées firent surface, le temps avait changé avec une soudaineté surprenante. Un vent vif, venant du large, avait chassé la brume comme par enchantement. La mer commençait à se creuser et de sombres nuées plombées accouraient de l'horizon.

—Il vaut peut-être mieux rejoindre le bord, jugea Janis.

Lorsqu'il atteignirent la plage après une bonne demi-heure d'efforts, la tempête se déchaîna. Le vent les courbait en deux alors qu'ils tentaient vainement de tirer le radeau sur la grève. Renonçant à leur tentative, ils coururent se réfugier dans les cabanes sous une pluie cinglante. C'était la première fois que le temps se gâtait. Ils imaginaient bien que cela devait arriver un jour, mais la violence de la bourrasque les effrayait.

Le radeau laissé à la fureur des vagues ne fut plus bientôt qu'un jouet fragile chahuté en tous sens. Ses attaches de chanvre se délièrent et les troncs de balsa se dispersèrent au courant. L'océan, d'ordinaire si calme, semblait opposer des falaises liquides aux reliefs de la grève. Les rouleaux venus du large s'enroulaient en énormes montagnes couronnées d'écume et déferlaient sur la côte avec une force irrésistible. Les eaux pénétraient loin dans les palmeraies, parvenant même jusqu'aux fragiles installations de la colonie qui, au pied de la falaise, paraissaient pourtant construites hors de portée de la mer.

Les cabanes les plus exposées ne résistèrent pas. Le vent tourbillonnant arrachait les palmes des toitures, et les poteaux de soutènement se pliaient sous la force des vagues qui venaient les lécher.

Les enfants se réfugièrent au fond des grottes, observant avec horreur la progression du désastre. Le cauchemar fut terrible mais de courte durée. Le vent se calma aussi vite qu'il s'était levé. Le ciel se déchira, inondant la plage dévastée d'une lumière irréelle. En petits groupes, les enfants sortirent de leur abri et arpentèrent le rivage pour constater l'étendue des dégâts.

Le campement avait souffert, mais l'essentiel avait résisté. La tempête, dans sa brève fureur, avait redessiné le rivage, rehaussant même le sommet de la plage d'une butée de sable neuf.

—Il faut espérer que c'est fini, dit Élie en scrutant avec inquiétude l'horizon d'un noir d'encre.

Par une sorte d'ironie du sort, les cloches de plongée de Toupie, pratiquement intactes, avaient été drossées sur le sable alors qu'il ne subsistait plus rien du radeau. Les trouvailles de Janis y étaient toujours arrimées, à moitié enfouies dans le sol.

Élie dégagea quelques objets qu'il débarrassa de leur gangue de boue. Toute la petite colonie faisait cercle autour de lui. La vue de ces lignes nettes, de ces métaux brillants sertissant parfois des écrans miniatures serra la gorge des exilés. Ils travaillaient avec des matériaux si grossiers et des outils si rudimentaires qu'ils avaient oublié jusqu'à l'apparence polie de ces artefacts d'un autre monde.

—Rien de très utilisable, jugea Tiggy. Le séjour prolongé dans l'eau de mer a tué tous les circuits intelligents, sauf peut-être dans cet astrolabe électronique fonctionnant à la lumière du jour.

Elle tourna en tous sens une boule de verre qui tenait dans la paume de sa main et où des relais endormis s'activaient de façon hésitante.

Souris s'avança, les yeux écarquillés.

—J'en avais un pareil sur Mentor, s'extasia-t-il. C'est une carte céleste de notre galaxie : un astrolabe électronique fondé sur la technologie zark. On y reconnaît les systèmes colonisés par les Terriens, ceux détenus par les Arachnos, et on y a même matérialisé l'ancien empire des Zarks avant qu'ils ne disparaissent, balayés par une mystérieuse catastrophe.

—Dans ce cas, je te confie l'objet, dit Tiggy distraitement. Tu sauras mieux que moi comment le faire fonctionner…

Souris accepta la mission en rougissant de fierté.

—Je ferai tout mon possible, Tiggy…

Il fut interrompu par Pelote, qui courait vers eux, affolée…

—Carner… il… il… balbutia-t-elle sans réussir à articuler une phrase cohérente.

La pêche miraculeuse de Janis fut vite oubliée. Ils se précipitèrent au chevet de Carner. Le garçon blessé gisait sur sa paillasse, les cheveux défaits, la mine hagarde, tenant des propos incohérents.

—La punition, c'est la punition, répétait-il. Cette tempête n'est que le début des calamités. Il faut retrouver les corps des pilotes. Nous les avons abandonnés…

—Calme-toi, Carner, dit Moelo. J'ai pénétré dans l'intérieur de l'épave. Je n'ai trouvé aucune trace des deux adultes qui nous accompagnaient. Nous avons fait ce que nous avons pu…

—C'est toi… c'est toi, Moelo, qui ne voulais pas qu'on accélère les recherches dans la navette, accusa Carner, le regard chaviré.

—On reconstruira un radeau, tenta de le rassurer Élie.

—C'est trop tard, le mal est fait. Les eaux se peuplent de monstres et d'esprits hostiles… Le crash de la navette et maintenant cette tempête les ont réveillés…

—Il vaut peut-être mieux laisser le malade en paix. Il y a trop de monde ici, et il s'épuise inutilement, intervint Tiggy qui venait d'examiner la jambe du garçon.

Les enfants obéirent, mais la véhémence du blessé en avait impressionné plus d'un. Les petits, surtout, qui aimaient bien la stature rassurante de Carner, fantasmaient sur les « monstres » du lagon. À les entendre, ces créatures infernales allaient sortir de l'eau pour venir les attaquer sur la plage.

Tiggy entraîna Élie à l'écart.

—Sa jambe est dans un vilain état. Les orteils sont insensibles. C'est un début de gangrène. Cela fait un moment que je m'en doute…

—Que peut-on faire ? gémit Élie.

—Le laisser mourir ou amputer le membre malade, dit Tiggy, le visage figé.

—Lui couper la jambe ! s'exclama le garçon avec horreur.

—Oui, et sans plus tarder. Toi seul as l'outil chirurgical qui convient. Règle le rayon au plus fin…

Élie secoua la tête dans un geste de négation farouche.

—Je n'y arriverai jamais.

—Tu crois que ça m'amuse ? hurla-t-elle soudainement.

Elle retourna auprès du malade, lui glissa dans l'oreille quelques paroles rassurantes et entreprit de lui lier les membres avec des filins de chanvre qu'elle attacha aux poteaux qui avaient résisté à la tempête. Dans son délire, Carner ne se rendait pas compte de ce qui lui arrivait.

Bardinn, qui traînait dans les parages, s'inquiéta de ce manège.

—Qu'est-ce que vous faites à Carner ? s'enquit-il le front plissé et hostile.

Tiggy le repoussa avec fermeté.

—On essaie de sauver sa peau. Tu n'as rien à faire ici… De toute façon, tu tournerais de l'œil…

Il se dégageait une telle impression d'autorité de la jeune fille que le garçon se laissa refouler sans protester. Tiggy avait confectionné de la charpie avec des fougères. Elle regarda Élie droit dans les yeux, maîtrisant difficilement son émotion.

—Vas-y. Tu vas couper le membre malade à mi-cuisse en mettant ton laser au maximum de sa puissance. Il s'agit de ne pas trembler…

—Non… Je ne sais pas faire cela… Je suis trop jeune… trop maladroit… trop…

—Fais-le ou prépare-toi à creuser sa tombe, murmura Tiggy d'une voix blanche. Nous n'avons pas le choix…

Élie sortit son arme. Il ne pouvait se résoudre à regarder le visage de Carner tant il avait l'impression d'agir en traître.

—Qu'est-ce que tu attends, Élie? gronda Tiggy entre ses dents serrées.

Il avala sa salive. Sa gorge était sèche et ses jambes se dérobaient sous lui. Il se concentra sur son objectif: la cuisse de Carner aux chairs malades, striées de bleu… La cuisse de Carner…

Le faisceau jaillit, entamant le membre jusqu'à l'os. Carner poussa un rugissement de douleur et perdit aussitôt connaissance. Élie bougea son bras de gauche à droite d'un mouvement saccadé. Le rayon s'enfonçait dans la chair en grésillant. Il était sur le point de se sentir mal, il allait vomir…

—Tu peux arrêter, lui cria Tiggy, c'est coupé depuis longtemps! Sors prendre l'air, tu es pâle comme un linge. Tu reviendras pour m'aider à placer le garrot…

8
Bannis !

L e répit n'avait été que de courte durée. Le vent se levait à nouveau avec une force décuplée et la mer, déjà grosse, prit une allure encore plus tourmentée qui arracha des cris de désespoir aux enfants. Ils grimpèrent dans la falaise, Élie et Tiggy portant Carner, toujours évanoui, pour se réfugier dans des grottes à mi-pente qui leur paraissaient hors de portée des éléments en furie.

Les énormes murailles grises des vagues, soulevées par un vent hurleur, dévorèrent la plage. En l'espace de quelques minutes, toutes leurs installations furent pulvérisées et emportées par le ressac. La pluie tombait si dru qu'elle bornait le regard à quelques mètres. Le ciel et l'océan semblaient unis pour ne former qu'un unique chaudron infernal.

Terrés au fond de leurs abris, les enfants courbaient la nuque. Beaucoup d'entre eux pleuraient en appelant à l'aide, mais ils savaient que leurs parents ou les protecteurs éventuels étaient bien trop loin pour entendre leurs cris de détresse. La tempête s'installait avec une fureur sans faiblesse.

Les lames lancées à l'assaut des falaises tonnaient comme des coups de canon et faisaient vibrer les parois des grottes. Rien ne paraissait en mesure de résister aux éléments en folie. Ils restèrent de longues heures immobiles, se protégeant comme ils pouvaient du vent. Les éclairs incessants soulignaient leurs faces défaites dans la pénombre des grottes, envahies par une eau de ruissellement qui ne les laissait même pas au sec.

Lorsque, enfin, la tempête se calma, un jour malade s'insinua entre les nuées. La côte était méconnaissable, entièrement remodelée par la fureur marine. De nouvelles îles apparaissaient à la limite du lagon et la falaise s'était écroulée à plusieurs endroits, dessinant des criques encombrées d'éboulis. Sur la plage, des arbres renversés encombraient la lisière et une sorte de lac intérieur s'était creusé à l'endroit de leur ancien campement. Élie et quelques autres descendirent de la falaise. Aucune de leurs installations ne subsistait. Seuls les objets qui avaient été mis à l'abri au fond des grottes avaient échappé au saccage.

L'émotion était trop forte et ils se contentaient de piétiner le sable humide, silencieux, incrédules, atterrés…

Élie observait l'horizon avec méfiance.

—Qui nous dit que c'est terminé? dit-il à Souris qui avait sauvé son astrolabe électronique en le serrant contre son ventre. Il faut tous nous regrouper dans la grotte de Moelo. C'est la plus grande, et elle semble à l'abri des vagues.

—Tu crois que c'est la malédiction dont parlait Carner? demanda Souris d'une petite voix.

Élie fronça les sourcils.

—Tu t'y mets aussi, comme les Canaris… Je croyais que tu savais dominer tes frousses de gamin.

Souris baissa les yeux, confus.

—Ce n'est qu'un cyclone tropical, expliqua Élie. Il paraît que, sur Terre, il y en a d'aussi violents.

—Pas sur Afgor la Verte…

—Il n'y a pas d'océan digne de ce nom sur Afgor. Pour la dernière fois, cesse de jouer au superstitieux…

Tiggy l'interrompit en lui criant un avertissement qu'il ne comprit pas tout de suite. Armée de ses jumelles, elle observait le front de mer depuis un point élevé de la falaise.

—Elle a vu quelque chose d'anormal, supposa Souris. Ça va donc recommencer?

En effet, une nouvelle nuée sombre venait de prendre naissance au-dessus du cap le plus proche, mais elle était d'un autre type que les deux précédentes. Des reflets irisés traversaient sa masse d'un bleu acier en mouvement et aucun éclair ne l'illuminait.

—Jamais deux sans trois, prévint Élie à l'adresse de tous ceux qui erraient sur la plage. Je ne sais pas ce que c'est… Tous aux abris! cria-t-il.

Ce fut la panique. Les enfants se ruèrent vers les refuges de la falaise. Le phénomène était très proche. Déjà le nuage fondait sur eux, et rien n'avait pu laisser deviner sa véritable nature. Les fuyards qui s'égaillaient sur la plage furent entourés par un immense bourdonnement de fin du monde traversé par des sifflements qui vrillaient les tympans.

C'étaient des mouches… des millions de mouches d'une taille impressionnante, dont l'abdomen d'un noir brillant paraissait corseté de métal. Elles rasaient la surface de la mer, planaient au-dessus de la plage et incurvaient leur vol pour franchir le sommet de la falaise. Cette étrange migration de masse formait comme une vague vivante qui enveloppait de façon menaçante les obstacles s'opposant à sa route.

Élie avait trouvé refuge derrière un tronc d'arbre en compagnie de Souris. Dans leur fuite, ils avaient été frappés dans la nuque et dans le dos par plusieurs de ces petites fusées en folie.

—Je suis blessé, gémit Souris en contemplant ses mains couvertes de sang, et toi aussi…

Élie comprit aussitôt le danger. Les ailes de ces mouches étaient aussi coupantes que des rasoirs. La vitesse de leur vol et leur grand nombre en faisaient un fléau encore plus meurtrier que les éléments naturels. Il sortit son pistolet laser et, l'utilisant comme un lance-flammes, opposa une muraille de feu à cette multitude agressive. Le passage des mouches dura un bon quart d'heure. Elles tombaient par milliers, et le sol fut bientôt recouvert d'une épaisse couche d'insectes encore frétillants. Élie ne craignait qu'une chose : que cet essaim se retournât contre eux plutôt que de poursuivre son vol. Ce scénario du pire ne se produisit pas, et les dernières nuées vrombissantes franchirent le sommet de la falaise pour disparaître vers l'intérieur des terres.

Ils émergèrent de leurs abris. Pas un d'entre eux n'était indemne. De longues estafilades sanguinolentes ornaient leurs visages hagards et leurs bras nus.

—Passez vos blessures à l'eau de mer, préconisa Tiggy. Je n'ai plus d'antiseptique dans ma trousse.

On entendit des cris hystériques. C'était Pelote qui piquait une crise de nerf à la vue de toutes ces mouches entassées.

—Vous m'aviez pourtant juré qu'il n'y avait pas de sales bêtes ici ! vociférait-elle.

Toupie remuait avec la pointe d'un bâton les cadavres de mouches agglutinés sur la plage.

—Ce sont vraiment des « mouches-rasoirs », constata-t-il avec dégoût. On dirait des petites chauves-souris avec des ailes de libellules très aiguisées, mais ce sont des insectes à partir de l'abdomen. Je n'ai jamais rien vu de pareil, même dans les livres d'exobiologie. C'est un horrible mélange…

Élie donna un coup de pied d'écœurement dans la masse organique, qui couvrait la plage d'un tapis noir où s'agitaient encore des milliers de pattes chitineuses.

—Je n'y comprends rien. Cette planète semblait pourtant stérile à part sa couverture végétale. Quelle peut bien être l'origine de cette saloperie surgissant juste après la tempête ?

—Je n'en sais fichtrement rien, grogna Tiggy, agacée. Je l'ai vue se former au-dessus de la pointe.

—Je n'aime pas les mouches-rasoirs, bredouillait un petit en se blottissant contre la jeune fille.

Le découragement était général. La peur avait à peine déserté les esprits qu'on sentait sourdre un sentiment de révolte contre un sort trop injuste.

—Carner ne bouge plus, lança soudain un des coéquipiers de Moelo en encadrant son visage défait dans l'ouverture de la caverne principale.

On se rendit en toute hâte au chevet du blessé. Ici, comme ailleurs, les cadavres de mouches-rasoirs jonchaient le sol. Loin de l'essaim principal, elles mouraient. Certaines bourdonnaient encore en émettant des signaux stridents.

Tiggy examina rapidement le garçon immobile et se releva très pâle.

—Il est mort, balbutia-t-elle…

Il y eut un long silence menaçant.

—Tout cela est de votre faute.

Moelo avait parlé d'une voix rauque et accusatrice. Son équipe l'entourait au grand complet, comme pendant une pause au tiers-temps.

—Je suis désolé… commença Élie, effondré.

—Carner l'est encore plus que toi, cracha Moelo, les yeux étincelants de colère. C'est ton opération barbare qui l'a tué. Tu mériterais qu'on te coupe la jambe, juste pour voir quel effet ça fait !

Tiggy s'interposa.

—Cesse de délirer Moelo. C'est moi qui ai pris la décision de l'opération.

—Oui, c'est la faute de cette salope qui croit tout savoir, grinça Bardinn en lui tordant les bras dans une prise douloureuse, mais elle va payer…

—Lâche-la tout de suite, dit Élie en faisant un pas en arrière et en sortant son pistolet laser.

Les jumeaux sautèrent sur ses épaules et lui immobilisèrent les bras. Moelo lança son genou en avant dans le bas-ventre d'Élie et lui arracha l'arme, dont le cran de sûreté n'était pas déverrouillé. Le garçon s'effondra en se tordant de douleur.

—Lève-toi, espèce de pantin, intima le capitaine en plaquant l'arme qu'il venait de récupérer sur le front du chef déchu.

Élie se redressa péniblement, encadré par les jumeaux qui continuaient à le maîtriser.

—Tu fais une énorme erreur, Moelo, dit Élie, le souffle court.

—C'est toi l'erreur, et je devrais faire un gros trou rond dans ta cervelle d'oiseau.

—Alors vas-y. Tu en as tellement envie…

Les deux garçons se défièrent un instant, haineusement, les yeux au fond des yeux.

Moelo se détourna, la bouche déformée par un rictus.

—Non, ce serait trop simple pour toi. Comme je suis le chef à présent, je vais prendre les bonnes décisions. Je te bannis de la colonie. Tu peux t'installer où bon te semble… Et je suis magnanime : pour que tu ne souffres pas de la solitude, je te cède quelques pleurnicheurs qui nous encombrent avec leurs jérémiades, ainsi que ta chère Tiggy…

Bardinn protesta :

—Pas elle… Elle fait trop bien la cuisine et peut rendre toutes sortes de services, pas vrai la grosse ?

Tiggy se dégagea comme une tigresse :

—Bas les pattes, gros porc. Je préférerais mourir plutôt que de rester une minute de plus en ta compagnie…

Il y eut quelques rires grivois :

—Pas de chance Bardinn, tu manques de bonnes manières pour la demoiselle.

Moelo pointa son menton en avant, fermant à demi les paupières.

—Entendez-moi bien. Je n'empêche personne de se joindre aux bannis. Qu'ils fassent leur petite cuisine de règlements idiots entre eux, et nous, on vivra à notre guise

—Moi, je reste ici, décréta Pelote, les bras croisés.

—Tant mieux, on aura au moins une fille sous la main, même si elle est encore trop jeune et trop maigre, plaisanta grassement Bardinn, qui s'efforçait de faire bonne figure. Mais il n'est pas question qu'on se coltine les Canaris. Pas vrai les copains ?

On l'approuva bruyamment.

Les trois gamins furent poussés en direction de Tiggy.

—Moi, je vais avec eux, décréta Toupie.

—Et… et moi aussi, dit Souris après un petit moment d'hésitation.

—Ah! la belle équipe, railla Moelo. Quant à toi, Toupie, tu me déçois. Je sais que tu n'aimes pas jouer au palet, mais tu choisis le pire des camps en les suivant. Tu peux toujours changer d'avis…

Un silence lourd pesait sur la petite troupe. Tout le monde avait conscience que le moment était grave, mais les choses étaient allées trop loin pour déboucher sur un quelconque compromis.

—Alors, c'est tout ce que tu as trouvé pour régler nos problèmes, murmura Élie d'un air sombre, diviser notre communauté…

—Avec un mauvais chef comme toi, notre « communauté », comme tu dis, allait de toute façon au désastre, répliqua vivement Moelo. Allez-vous-en, avant que je ne change d'avis et que je me serve de ceci.

Il agitait le pistolet sous le nez d'Élie. Les bannis se regroupèrent frileusement sur la plage, puis s'éloignèrent à pas lents.

—Un instant, Tiggy! prévint Moelo.

Il désignait avec son arme la trousse de secours et les jumelles qui pendaient sur sa poitrine.

—Dans le trou où tu vas te terrer, tout ceci ne te servira à rien.

La jeune fille eut un reniflement de rage et laissa tomber le matériel à ses pieds.

—Tâche de bien t'en servir, jeta-t-elle d'un ton méprisant, et ne venez surtout pas me chercher s'il y a un bobo à soigner.

—Merci bien. On a vu ce que ça a donné pour Carner ! s'esclaffa Bardinn.

—J'espère qu'on ne fait pas une bêtise, marmonna Janis, qui regardait la petite troupe s'éloigner.

—Si on a besoin de Tiggy, on ira la chercher de force, dit Moelo en rangeant son bâton de commandement à sa ceinture. Pour les autres, ce n'est pas une bien grande perte. Et maintenant, au boulot. Il faut offrir une sépulture à Carner et regrouper tout ce qu'on peut récupérer dans la grotte principale, qui va devenir notre fortin.

9
L'astrolabe

Les premiers jours furent difficiles pour les bannis. Dépourvus de tout outil, ils durent travailler dur pour se confectionner des marteaux et des couteaux. Heureusement, le champ de silex qu'ils avaient découvert lors de leur exploration n'était pas loin.

D'un commun accord, les abords de la piscine où ils avaient pris un bain ensemble furent choisis pour établir leur campement. L'endroit n'était pas connu des autres, et suffisamment secret pour échapper à leur curiosité.

Le lit du ruisseau avait dû subir d'importantes variations dans son histoire mouvementée. Un escarpement en amont du bassin, qui devait constituer autrefois une cascade, leur offrit tout un dédale de galeries souterraines entièrement asséchées. En creusant les roches calcaires au cours des âges, le torrent avait établi son lit bien plus bas. Ils ne risquaient pas d'être inondés en s'installant dans ces grottes abandonnées par les eaux depuis longtemps.

Les Canaris furent d'abord une charge pénible

pour les bannis. Ils pleurnichaient sans cesse, se plaignaient de maux d'estomac et faisaient des cauchemars, la nuit, qu'ils reliaient aux délires de Carner.

—Maintenant, ça suffit ! finit par s'exclamer Tiggy, un jour où ils étaient particulièrement geignards. D'abord, est-ce que ça vous plaît de vous faire appeler « Canaris » comme si vous n'aviez pas de nom ? Il serait temps de grandir un peu…

Les gamins la fixaient avec crainte.

—Toi, par exemple, le plus costaud. Comment t'appelles-tu ? dit-elle en saisissant entre l'index et le majeur le nez morveux du garçon le plus proche.

—Aïe, tu me fais mal… Jos… Je m'appelle Jos…

—Et toi ? Tu as perdu ta langue ?

—C'est Ylvain, mon petit frère, expliqua Jos, laisse-le…

—Et la fillette au teint de chocolat, elle ne sait pas parler non plus ?

—Ariane, c'est mon nom, pleurnicha l'intéressée en battant des cils.

—Eh bien, Jos, Ylvain et Ariane, vous allez y mettre un peu du vôtre. Sinon, parole, on fait comme Moelo et on vous abandonne dans la forêt…

Il y eut un concert de cris déchirants…

—Silence ! Et mouchez-vous dans vos doigts. Mais qui m'a fichu des chialeurs pareils ? Pour commencer, vous allez apprendre à entretenir vos paillasses. Ce n'est tout de même pas à nous de le faire. Et tous les matins vous prendrez un petit bain dans le bassin. Vous êtes crasseux à faire peur !

—On ne sait pas nager, fit Jos en ravalant ses sanglots.

—Tu apprendras. Quoi d'autre encore ?

Tiggy les fusillait du regard avec une sévérité forcée.

—On aimerait manger chaud, hasarda Ariane.

—Reçu cinq sur cinq, et tu veux sans doute que je t'apporte ton déjeuner au lit ?

—J'ai pas dit ça ! se lamenta la fillette.

— C'est Moelo qui a volé notre gros briquet laser, expliqua Tiggy d'une voix radoucie. Théoriquement, on peut faire du feu en cognant deux silex, mais figurez-vous que jusqu'à présent on n'est arrivés à rien. Au lieu de passer vos journées à vous croiser les doigts, vous pourriez essayer de prendre un peu de paille sèche et de cogner des cailloux, jusqu'à ce que ça se mette à fumer. Qu'en pensez-vous ?

—D'accord, dit Jos en se redressant un peu. Il paraît qu'on peut aussi enflammer un morceau de bois en le frottant très vite contre un autre.

Tiggy approuva d'un hochement de tête.

—Tu vois que tu n'es pas complètement couillon. Pendant que tu essaieras tout ça, les deux autres pourront tresser des ficelles, on en manque terriblement, et c'est long à faire…

—Alors, on s'y met, dit Jos.

—Parfait, la petite équipe ! approuva Tiggy en se relevant. Je vais aider les garçons à installer des pièges.

—Pour attraper les vilaines mouches-rasoirs? s'enquit Ariane, les yeux brillants d'inquiétude dans son visage d'ébène.

—S'il n'y avait que celles-là! soupira Tiggy avec un petit sourire triste. Il y en a d'autres sur la plage, qui marchent à deux pattes et qui jouent de temps en temps au palet...

—Ah? Mais elles ne volent pas, celles-là... Elles sont trop grosses... dit Ariane avec malice.

—Encore heureux... Et n'oubliez pas : de la paille très sèche et les cailloux gris qui sont dans ce panier...

En quittant les Canaris, Tiggy rencontra Souris qui traînait au bord du bassin.

—Tu ne veux pas aider les autres? demanda-t-elle, surprise.

Le garçon paraissait gêné. Tiggy avait déjà remarqué qu'il s'exprimait difficilement, en tortillant son corps dégingandé, comme s'il craignait de dire des âneries.

—Ce matin, j'ai ramassé de l'argent au fond de la piscine! finit-il par bredouiller.

Il étala deux grosses poignées de galets blancs sur la roche.

—Tu ne crois pas que nous avons d'autres soucis... commença-t-elle avant de se raviser et de faire remarquer :

—Nous n'avons plus le poinçon laser, de toute façon...

—Élie pourrait les signer avec des baies de couleur. Et puis, il n'y a pas de tricheur, ici...

—Ça, tu n'en sais rien, mais ton idée n'est pas idiote. Ça ferait par exemple des sortes de bons points destinés aux Canaris pour les stimuler…

—Il y a autre chose… murmura Souris.

Il mit la main dans sa chemise et en extirpa l'astrolabe électronique qu'on lui avait confié.

—J'ai pu le cacher quand on nous a chassés du camp. Et tu sais, Tiggy, il marche… Je l'ai séché au soleil, je l'ai nettoyé et j'ai soufflé dans les fentes de ventilation.

—C'est… c'est formidable ! s'exclama la jeune fille interloquée.

Elle ne voyait pas d'utilité immédiate à une carte céleste, mais l'initiative du garçon était encourageante.

Souris posa, avec de multiples précautions, la petite sphère sur la roche. Une multitude de points brillants se mirent à luire dans les profondeurs sombres de la boule. Il commença à expliquer :

—Là, c'est Sol… Si j'agrandis, on peut voir la Terre avec sa lune pâle. Regarde, ici, on voit les deux soleils de Gémini. Afgor est le petit point vert vers l'extérieur…

—Oui, c'est très net. Tu te sers rudement bien de cet astrolabe, le complimenta Tiggy.

—Je jouais beaucoup à *Space Simulator* sur Mentor… avoua le garçon à mi-voix.

—Et la planète où nous nous trouvons, tu l'as repérée ?

Souris promena ses mains à la surface de la sphère et réussit à pousser l'agrandissement.

— C'est sans doute cette bille-là, avec un grand continent unique. Elle s'appelle SW.AF.25. Ce n'est pas un vrai nom.

— Elle est bien près des deux soleils.

— Oui, on peut le dire, mais son orbite suit une ellipse très allongée… L'année dure plus de vingt ans terrestres, et c'est compliqué par le fait qu'il y a deux soleils. Il y a sûrement plus de quatre saisons… Enfin, je suppose. L'astrolabe ne donne pas ce genre de renseignement, c'est juste une carte animée et je ne suis pas astronome.

— Élie sera très fier de toi, dit Tiggy en donnant une tape amicale au garçon.

— Tu crois ?

— J'en suis certaine, mais pour le moment il a besoin d'un coup de main pour confectionner les pièges.

— Tu penses que Moelo et sa bande vont nous attaquer ? demanda-t-il avec crainte.

— Pas pour le moment, mais l'envie de venir fourrer leur nez dans nos affaires viendra tôt ou tard. Tu peux leur faire confiance.

— Mais pourquoi ?

— Parce qu'on est fait comme nos parents, conclut Tiggy la gorge serrée, en évitant d'aller au bout de sa démonstration.

10

Une découverte extraordinaire

Après le départ d'Élie et des autres bannis, la bande à Moelo avait fait une découverte extraordinaire. Montés sur une petite pirogue hâtivement confectionnée, Janis et Bardinn, chargés de donner une sépulture marine à Carner, avaient cherché en vain à localiser l'épave de la navette. La tempête avait dû précipiter le vaisseau englouti dans la fosse toute proche.

En désespoir de cause, ils firent glisser le corps lesté de pierres de leur camarade à l'endroit approximatif où il s'était blessé lors d'une de ses plongées. Le reste de la colonie assistait à la cérémonie, massé sur la plage. Les visages étaient graves, des larmes coulaient sur les joues, mais ils étaient tous soulagés de voir disparaître ce cadavre dont la vue réveillait la peur fondamentale de la mort qui, chez eux, était repoussée vers un futur lointain, presque improbable.

Entraînée par le courant, la pirogue dut doubler la pointe rocheuse d'où était partie la nuée de mouches-rasoirs. Les deux garçons, qui luttaient avec leurs pagaies pour rejoindre le bord, tombèrent sur une surprise de taille. Une énorme structure métallique pointait un nez effilé hors des eaux du lagon. Les vagues l'avait exhumée des hauts-fonds où elle dormait, insoupçonnée, à quelques encablures de l'autre épave.

La mer, dans sa fureur, avait soulevé d'énormes quantités de sable et de galets ; l'artefact était relié à la terre ferme par un mince isthme praticable à pied sec.

Dès qu'ils eurent touché la grève, les deux garçons coururent prévenir les autres de leur découverte. Ils se précipitèrent tous sur les lieux, sautant de pierre en pierre dans les criques rocheuses accidentées qui permettaient d'accéder à la pointe. Le relief accidenté de cette portion de la côte les avait toujours rebutés, mais cette fois il y avait un cadeau de taille au bout du chemin. Ils firent cercle autour de l'épave.

—Incroyable, incroyable… commentait Moelo en cognant à divers endroits la coque de métal avec la crosse de son arme.

Il éveillait des échos prolongés qui laissaient deviner des cavités internes. La partie visible de cette énorme structure de métal ressemblait à un œuf gigantesque garni d'arcs-boutants enfoncés dans le sable.

—Ce n'est pas un vaisseau terrien, estima Janis au bout d'un moment. On dirait un navire-usine interplanétaire, mais je ne reconnais pas le modèle.

—Un croiseur arachnos, alors ! jeta un des frères jumeaux en frissonnant.

Ils reculèrent en désordre. La simple évocation des

ennemies à huit pattes hérissait instantanément toutes les échines.

— Probablement, souffla Janis comme s'il craignait de réveiller les occupants du vaisseau, mais je n'ai jamais vu ce genre de superstructures. Je connais bien les modèles de croiseurs arachnos. Là, c'est une forme très archaïque, ou du moins très peu utilisée par nos ennemis.

— Un ancien vaisseau zark ? hasarda Moelo, la gorge nouée.

— Tous les vaisseaux interstellaires arachnos ou terriens sont d'origine zark, tu le sais bien, dit Janis en haussant les épaules. Sans la technologie de cette ancienne civilisation galactique mystérieusement disparue il y a un ou deux millions d'années, nous n'aurions jamais réussi à quitter notre système solaire d'origine. Mais nous, on n'a trouvé qu'un exemplaire de nef hyperluminique zark dans les glaces d'Europe, la lune de Jupiter. Pas de chance… Les Arachnos, elles, en ont trouvé des centaines et n'ont pas eu besoin d'en construire de nouvelles. D'ailleurs, elles n'en sont peut-être pas capables…

— C'est tout de même étrange que cet engin ait coulé pratiquement au même endroit que la navette, fit remarquer Bardinn, qui ne parvenait pas à cacher sa nervosité.

Goon eut un petit rire moqueur :

— Réfléchis pour une fois, Bardinn. Janis vient de te dire que les humains aussi bien que les Arachnos utilisent le même type de nef d'origine zark. En pilotage automatique, il y a de grandes chances que l'IA[1] de bord choisisse la même zone d'amerrissage forcé. Ce qui me surprend davantage, c'est la taille de cet engin. Contrairement à notre navette, il n'a pas l'air d'avoir beaucoup souffert dans sa chute. Pour moi, l'intérieur n'a pas été inondé…

Moelo écoutait attentivement les explications de Goon. Il connaissait la passion de son distributeur de jeu pour l'astronautique, et avait plus d'une fois admiré sa collection de maquettes volantes capables de simuler en microgravité un combat spatial dans les salles de sport de Mentor.

—Crois-tu qu'on puisse y pénétrer? demanda-t-il.

—Ce n'est pas un croiseur de type militaire, fit Goon pensivement. Il faudrait pouvoir accéder au niveau habitable, qui est enfoui dans le sable.

Un sourire de triomphe étira la bouche de Moelo. Il sortit son arme.

—J'ai ce qu'il faut pour cela. Reculez tous…

Le rayon laser fusa à pleine puissance, creusant une tranchée fumante sur le pourtour de la coque. Lorsque l'excavation atteignit environ trois mètres de profondeur, l'eau de mer s'y engouffra et entra en ébullition au contact du sable vitrifié. Un nuage de vapeur entoura la silhouette du mystérieux navire, lui donnant soudain des allures de château aux tourelles déchiquetées, perdu dans les brumes.

---

1. IA : Intelligence Artificielle.

—J'ai peur, gémit Pelote, qui se tenait pourtant au premier rang à côté de Moelo et était totalement fascinée par le spectacle.

—Il n'y a pas de quoi, petite gourde, s'esclaffa Bardinn. Il n'y a personne dans ce cercueil de métal…

—Oui, mais ses défenses automatiques sont peut-être activées, nuança Goon. Tu peux arrêter, Moelo, j'aperçois l'encadrement d'un sas.

Il attendit que le nuage se dissipe et descendit dans la tranchée, pataugeant dans l'eau tiède qui y stagnait. Ils suivaient tous sa progression en retenant leur souffle. La prudence aurait commandé qu'ils se tiennent à distance, mais la curiosité était la plus forte. Ils avaient tenté pendant plusieurs jours d'atteindre la navette immergée, et là, une tempête leur offrait un énorme vaisseau pratiquement déposé sur la grève.

—Le sas est verrouillé de l'intérieur, annonça Goon du fond de la tranchée. Un petit coup de laser pourra le déplomber. Moelo, lance-moi ton arme ou viens m'aider…

—Il vaudrait peut-être mieux demander l'avis d'Élie ou de Tiggy, suggéra Janis en posant la main sur le bras du capitaine.

—Jamais ! répliqua Moelo en se dégageant d'un air farouche. On se débrouillera très bien sans ces empêcheurs de tourner en rond. Tu as la trouille ou quoi, Janis ?

—Non, mais je préfère le jeu d'équipe aux actions personnelles et le fair-play aux intimidations…

Le visage de Moelo se ferma.

—Tu fais allusion à quelque chose en particulier ? interrogea-t-il, l'œil flamboyant, la main serrée sur la crosse du pistolet.

Tout le monde savait parfaitement de quoi il était question. La façon dont l'équipe de Moelo avait remporté son match de palet était encore dans toutes les mémoires. Bardinn, qui se sentait également visé, se rapprocha des deux garçons avec une allure menaçante.

—Non, à rien de spécial, biaisa Janis en levant les mains en signe d'apaisement. Après tout, tu es le chef et tu sais ce que tu fais…

—Ouais, et tâche de t'en souvenir à l'avenir avant d'ouvrir ta grande gueule, jeta Moelo encore bouillant de colère.

—Alors, tu me lances ton laser ? s'impatienta Goon dans la tranchée.

—Non, j'arrive ! fit Moelo en sautant dans le trou.

Le système de verrouillage ne résista pas plus que quelques secondes. Le lourd vantail métallique coulissa pour disparaître dans la coque. Simultanément, de l'air sous pression sortit de l'intérieur du vaisseau et de l'eau s'engouffra dans l'ouverture. Des bruits confus se répercutèrent dans les entrailles du navire, comme une monstrueuse digestion.

—Les sécurités fonctionnent, s'extasia Goon, l'oreille attentive à toutes ces mystérieuses rumeurs. Sans doute des unités de secours. Il y a encore du jus là-dedans, ou alors les chocs subis au cours de la tempête ont activé des unités de secours en sommeil.

Les enfants qui les observaient d'en haut poussèrent un rugissement de triomphe. Ils se voyaient déjà quitter la planète.

Les jumeaux rejoignirent Moelo et Goon, et le quatuor s'enfonça dans les profondeurs du vaisseau.

L'atmosphère, quoique charriant des relents fétides, était respirable. Des veilleuses fonctionnaient dans les coursives. Goon ouvrait les lourdes portes les unes après les autres. Ils traversaient des salles plongées dans la pénombre et d'autres chichement éclairées. L'inclinaison du vaisseau rendait la progression difficile, et ils glissaient parfois sur le sol recouvert d'une substance huileuse. Peu à peu, malgré leur enthousiasme de départ, une sensation de malaise s'emparait d'eux.

—C'est vide, pas le moindre objet qui traîne, dit Kort.

—Par là, on doit accéder au poste de commande, fit Goon d'une voix mal assurée en désignant une longue coursive incurvée.

Ils marchaient instinctivement sur la pointe des pieds, comme s'ils craignaient de réveiller quelque monstre endormi. Ils parvinrent dans une zone où des petites cabines closes se succédaient. Dans les croiseurs terriens, c'était l'habituel quartier de repos des soldats affectés à la manœuvre ou à la surveillance.

Goon ouvrit une des portes et eut un mouvement de recul.

—Ça pue là-dedans ! dit-il en plaquant une main sur sa bouche pour ne pas vomir.

La veilleuse du couloir n'éclairait que partiellement l'intérieur, mais c'était suffisant pour apercevoir d'épais écheveaux de toiles d'araignée enveloppant des formes sombres qui pendaient du plafond. Une odeur écœurante les prit à la gorge.

Moelo fit un pas en avant et, sans hésiter une seconde, fit le ménage d'un coup de laser. Une bouffée de fumée âcre et noirâtre envahit la cabine.

—C'était un endroit occupé par des Arachnos, dit-il en agitant la main pour dissiper les vapeurs nauséabondes. Ça puait à cause des cadavres qui pourrissaient dans les toiles.

—Des Arachnos… murmurèrent les autres, immédiatement saisis au ventre par une peur atavique.

—Elles n'ont pas besoin comme nous de lit ou de hamac pour dormir. Un bout de plafond leur suffit…

—Immondes saloperies, jura Goon. Elles ont dû crever sur le coup, sûrement surprises dans leur sommeil. On ne sait pas pourquoi, mais c'est un bon débarras. La cabine de commande nous en apprendra peut-être plus…

Une porte blindée interdisait l'accès à ce point stratégique du navire. Goon eut raison de sa serrure après quelques tâtonnements. Contrairement aux Terriens, les Arachnos n'avaient pas repensé les installations électroniques des vaisseaux zarks, mais les avaient adoptées dans l'état, sans se poser de questions. L'héritage technologique de cette lointaine race humanoïde, supérieurement développée et disparue, dépassait sur bien des points tant les Terriens que les Arachnos.

En pénétrant dans la salle de commande, les quatre garçons eurent l'impression rassurante de se trouver en territoire connu. Les instruments qu'ils avaient sous les yeux leur étaient familiers.

Goon, après un moment de concentration, enfonça quelques touches. Un écran s'alluma, affichant un tableau de symboles.

— La source d'énergie principale est morte, murmura-t-il. Tout fonctionne sur l'auxiliaire, sans doute alimenté depuis peu par les pompes à chaleur en contact avec l'océan.

— Ce qui veut dire ? lança Moelo.

— Ce qui veut dire que cette carcasse ne peut plus s'envoler. En revanche, une foule d'autres fonctions ont été réactivées récemment. Il nous faudra des semaines pour faire le tour de la question…

Il y eut un long silence, que Moelo brisa d'un éclat de rire nerveux :

— On a le temps, non ?

II
Le feu

On a tout essayé. Ça n'a pas marché…
Jos levait son nez pelé par un coup de soleil en
direction de Tiggy avec un air penaud.

La jeune fille s'essuya le front. La journée passée
dans la forêt avait ajouté quelques égratignures à sa
collection de coupures infligées par l'attaque des
mouches-rasoirs. Elle ébouriffa la tête du garçon d'une
main lasse.

—Ce n'est pas bien grave, Jos. L'essentiel est
d'avoir tenté quelque chose.

Les deux autres Canaris lui tendirent une pelote de
ficelle grossièrement tressée.

—Nous, on n'a pas perdu notre temps, dit Ariane
fièrement.

—Je vois ça. Vous avez bien travaillé, les félicita-
t-elle.

À cet instant, les trois garçons débouchèrent de la forêt,
lourdement chargés de fagots et de paniers remplis de
fruits. Ils paraissaient tous exténués. Leurs mains et leurs
bras couverts d'argile trahissaient leurs travaux d'excava-

tion. Ils s'assirent sur la roche et trempèrent leurs pieds dans l'eau fraîche du bassin. Élie enleva son tee-shirt, qui partait en lambeaux. La peau de ses épaules portait de nombreuses griffures de ronces. Toupie lavait ses mains avec des gestes d'automate, et Souris s'efforçait de réparer une de ses chaussures dont la semelle se détachait.

Ils restèrent ensuite prostrés de longues minutes, les yeux tournés vers la mer où l'un des deux soleils s'enfonçait dans un bain pourpre. À vrai dire, ils n'admiraient pas le spectacle, mais s'abîmaient dans un événement qui ne leur demandait aucun effort.

— On n'a toujours pas de feu, constata Tiggy. Les Canaris ont fait tout ce qu'ils pouvaient mais…

— Ne leur demande pas l'impossible, dit Élie d'une façon distraite. On s'occupera du problème du feu demain. Dans le pire des cas, on marchera vers les volcans de l'intérieur des terres. Il y a là-bas tous les incendies qui nous manquent. La première des priorités était de défendre notre campement. Moelo ne va pas en rester là, c'est sûr…

Tiggy eut une moue sceptique.

— À mon avis, tu fais une mauvaise analyse de la situation. Pour le moment, Moelo savoure sa victoire avec ses complices ; puis il ne va pas tarder à se rendre compte qu'il a besoin de nous, mais son orgueil l'empêchera de se tourner dans notre direction. Dans une semaine, deux peut-être, il changera de tactique…

— J'aime mieux être prêt à le recevoir comme il le mérite, répliqua Élie, les nerfs à vif.

—Avec ça, par exemple ! fit Souris en exhibant une cosse brunâtre entourée de fibres végétales.

Il la lança au loin comme une grenade. Le fruit en touchant le sol explosa et fit fuser une volée de semences qui trouèrent les feuillages environnants.

—Très impressionnant, commenta Tiggy, sans enthousiasme. Je suppose que ce sont tes observations botaniques qui t'ont donné l'idée de cette remarquable bombe biologique, certainement redoutable et massacrante à souhait.

Souris parut contrarié. Il n'aimait pas être la cible de l'attention générale, surtout lorsqu'il s'agissait de critiques.

—Ben… fit-il, embarrassé. Élie m'a parlé d'armes de défense. On a confectionné des poignards, des arcs et des lanceurs. Avec quelques grenades en prime, on met toutes les chances de notre côté… Il y a quand même un pistolet laser en face…

Tiggy eut un petit hoquet indigné.

—Évidemment… Et c'était plus urgent que de régler le problème du feu. On mangera froid tant que vous serez occupés à confectionner des joujoux guerriers. C'est bien ça ?

Personne ne s'avisa d'élever la voix. Les colères de Tiggy avaient quelque chose de débordant qui ne donnait pas envie de s'y frotter. Ils devaient d'ailleurs reconnaître que la maîtrise du feu était un problème qu'ils avaient négligé.

—J'ai pensé à une solution, assena-t-elle dans le

silence embarrassé. Souris a récupéré l'astrolabe électronique. On pourrait utiliser le verre de l'écran comme une loupe.

—Jamais! s'écria instantanément Souris, le visage empourpré. Je préfère retourner chez Moelo plutôt que de vous laisser abîmer cet objet que j'ai réussi à réparer.

Tiggy haussa les épaules.

—Bien… Je suppose que c'est à Élie de prendre une décision.

—Je ne savais même pas que l'astrolabe fonctionnait, se justifia Élie. Peut-il être utile dans notre situation?

Souris chercha son trésor et le posa au milieu du cercle qu'ils avaient formé sur le socle rocheux en bordure du bassin.

—Je l'ai déjà montré à Tiggy, expliqua Souris en lançant un regard de reproche à la jeune fille. Regardez, j'ai même réussi à activer la reconstitution de l'ancien empire galactique des Zarks. En bleu, vous avez les systèmes de colonisation humaine, en vert, l'espace arachnos et, en rouge, ce qui devait être le royaume zark…

Le crépuscule s'installait, avec son cortège de senteurs sucrées et ses draperies de couleurs mourantes dans le ciel d'un bleu sombre où les étoiles commençaient à apparaître. La boule que manipulait Souris semblait suggérer une autre profondeur : elle révélait des constellations sans nom et dessinait de mystérieuses relations entre les Arachnos, les Terriens et les fantômes des Zarks. C'était comme une partie de palet à trois avec une distribution inconnue des champs d'influence de chacun.

—Je n'avais jamais vu cette projection aussi clairement, dit Élie, fasciné. Il est vrai que cela indique que les Arachnos se trouvent au beau milieu de l'ancien empire zark, et donc héritent de tous les vestiges de leurs installations. Nous sommes en périphérie… Ce que nous avons reçu des Zarks se résume à une épave échouée dans notre système solaire. Nous avons volé leur science à partir d'un cercueil figé dans la glace…

—Nous l'avons peut-être volé, mais nous en avons fait rapidement un moyen d'exploration interstellaire à notre mesure, rectifia Souris. Dans les jeux de simulation que je connais bien, ce n'est pas forcément celui qui est bien installé dans sa forteresse qui l'emporte. L'attaquant qui prend des initiatives et réinvente les données a une bonification automatique.

—En attendant, nous ne sommes pas dans un jeu, grommela Tiggy. Quand vous aurez fini de vous promener dans la galaxie, n'oubliez pas de faire le ménage par ici !

Pendant qu'ils palabraient, Toupie s'était intéressé aux essais des Canaris. Il soupesait les silex qui avaient été entrechoqués en pure perte, remuait les brassées d'herbes sèches qu'aucune étincelle n'avait embrasées et examinait les morceaux de bois dur que les gamins avaient frottés jusqu'à se faire des ampoules aux mains.

—Mais ce n'est pas mal du tout, ça, s'exclama-t-il.

Il suffirait d'un rien pour enflammer toute cette étoupe sèche.

Il s'installa commodément, passa une ficelle entre ses doigts de pied et l'enroula avec soin autour d'un pieu pointu calé sur un bloc de bois dur. En gloussant d'excitation, il exerça une traction continue sur le bout de ficelle libre. Animé d'une grande vitesse de rotation, le pieu se mit à vrombir sur son support en creux.

Alertés par ce bruit curieux, les autres arrêtèrent de regarder l'astrolabe et se tournèrent vers Toupie.

— Ouais, ça va plus vite comme ça, s'extasia Jos en plaçant une petite touffe de mousse sèche à l'endroit de la friction.

Une miraculeuse fumerolle finit par s'échapper du creuset.

— Soufflez, soufflez! cria Élie, excité, en gonflant lui-même ses joues.

Soudain, il y eut une flammèche vacillante. Jos jeta une brindille, puis une autre. Le feu était là, sous leurs yeux éblouis.

Quelques minutes plus tard, c'était une belle flambée. Le bois sec ne manquait pas dans les environs.

Ce soir-là, ils mangèrent leur premier repas chaud et l'astrolabe de Souris fut placé, intact, dans une niche de leur caverne.

Le navire-usine

L'exploration du vaisseau arachnos avait pris une bonne semaine. Goon menait les opérations avec l'aide des jumeaux, dont la parfaite coordination simplifiait le travail.

La petite colonie n'avait pas hésité longtemps avant de s'installer dans cette immense structure de métal. Passées les premières frayeurs liées à l'ancienne occupation du vaisseau par les Arachnos, les enfants avaient instinctivement trouvé leurs quartiers dans un environnement qui leur rappelait en tous points la station Mentor.

Ils avaient, bien sûr, balayé avec frénésie toutes les installations surajoutées par les araignées. La petite taille de l'ennemi imposait des adaptations grossières : sièges confectionnés dans une sorte de matière organique ressemblant à du cuir pour surélever les postes de commande, chemins parallèles permettant aux troupes d'araignées de se croiser dans les coursives, protubérances déchiquetées rendant les commandes accessibles aux membres effilés des arthropodes ouvriers et autres inventions incongrues. Tout ce bricolage de nains utilisant des outils de géant fut éliminé, et brûlé lorsque c'était possible, avec une joie féroce. Curieusement, ils ne trouvèrent pas d'autres cadavres de l'ancien occupant. Qu'était-il arrivé à l'équipage du navire ? Dans quelles mystérieuses circonstances avait-il péri dans ce cercueil d'acier ?

Goon se posait toutes ces questions et s'efforçait de tempérer l'impatience de Moelo.

—Ce n'est pas un croiseur de combat, expliqua-t-il pour la énième fois au capitaine de l'équipe de palet. Il n'y a pas d'armes à bord, du moins, il n'en subsiste pas. C'est un navire-usine, mais je n'arrive pas à comprendre ce qu'il fabriquait... ce qu'il fabrique, plus exactement, car figure-toi qu'il marche toujours...

—Dans une usine, il y a une matière première à l'entrée et des produits finis qui sortent à l'autre bout de la chaîne. Ne commence pas à me prendre la tête ! grommela Moelo qui, ce jour-là, était de mauvaise humeur à cause d'un litige, qu'il devait régler, sur l'occupation des cabines.

Goon se contracta. Il passait des nuits entières dans la salle de commande, et l'impatience du chef le prenait à rebrousse-poil.

—Que ce soit clair, Moelo. Si tu veux des grosses têtes qui se penchent sur le problème, va demander pardon à Tiggy ou à Élie et ramène-les ici. Moi, je fais ce que je peux. Il y a dans les cales et dans les superstructures du vaisseau enfoncées dans le lagon une unité de synthèse qui fonctionne en relation avec le milieu marin. Ce truc-là continue à tourner tranquillement quoi que je fasse sur le tableau de commandes. Qu'est-ce qu'il fabrique ? Je n'en sais rien... Peut-être des mouches-rasoirs les jours de tempête ou le truc qui a attaqué Carner...

Moelo, qui essayait de se calmer, se frotta pensivement le menton.

— Tu as tout de même une idée, non ?

Goon hésita.

— À première vue, je dirais du vivant. Du vivant pouvant servir de nourriture.

— De nourriture ?

— Oui. Des composants organiques, si tu préfères. Regarde sur cet écran.

Il activa un des moniteurs, qui se couvrit de symboles entrelacés.

— Qu'est-ce que c'est ? demanda Moelo, le front plissé.

Goon eut un geste d'impuissance.

— Des séquences d'ADN, des arrangements de chromosomes, des trucs comme ça... Je ne suis pas assez calé en chimie du vivant.

Moelo marcha de long en large, en proie à une agitation fiévreuse.

— Qui peut comprendre ? dit-il enfin, en donnant du plat de la main une gifle rageuse à l'écran couvert de signes incompréhensibles.

— Les cadets. Tiggy : deux années de médicobiotech. Élie : analyse primaire des formes de vie extraterrestres, énonça Goon sans plus de commentaires. C'est comme le sport. Plus tu t'entraînes, plus tu deviens fort, pas de miracle…

— Et tu suggères qu'on aille s'excuser auprès de ces enfoirés ? jeta Moelo, les mâchoires serrées.

— Je ne suggère rien du tout, dit Goon diplomatiquement. Je te livre les faits, à toi de prendre les bonnes décisions. Tu as le bâton de commandement…

— Ça va. J'ai compris. Tu m'apprends que tu es trop con pour te débrouiller avec ce tableau de bord. À moi de trouver les solutions.

— C'est exactement comme tu dis, admit Goon avec un sourire en biais tout en coupant le moniteur. Maintenant, on peut toujours bidouiller…

— Bidouiller ?

— Oui. J'ai remarqué qu'il existe une fonction « Métaformer ». On peut l'enclencher et voir ce qui va arriver.

Moelo retrouva le sourire.

— Qu'est-ce qu'on risque à essayer ?

Goon secoua la tête en signe d'ignorance.

— Je n'en sais rien mais, si je me souviens des quelques leçons de biotech sur Mentor, il faut se méfier comme de la peste des manipulations sur le vivant. Les Zarks l'ont sans doute appris à leurs dépens, et les Arachnos à une plus petite échelle, dans ce vaisseau dont ils ont apparemment perdu la maîtrise de façon brutale. Ce qui vit est actif, se multiplie et peut devenir incontrôlable…

— … ou très pratique, l'interrompit Moelo. Tu disais toi-même que c'était sans doute un synthétiseur de nourriture. Imagine la fête si on réussit à obtenir de la viande. J'en rêve parfois la nuit.

Goon poussa un soupir gourmand.

— Moi aussi. Ah ! Une bonne tranche de viande hachée, une rondelle d'œuf dur, des feuilles de salade nappées de ketchup entre deux tranches de pain chaud…

— Arrête !

Goon ralluma l'écran et promena un doigt hésitant sur les symboles chimiques qui s'affichaient…

— Ça, par exemple, c'est un modèle assez complexe. Au moins un ver de terre. Mais je ne sais fichtrement pas comment ce bazar fonctionne. Il est à parier que le navire-usine utilise les molécules dont il a besoin dans les eaux du lagon.

— Est-ce qu'il peut y trouver tout ce qu'il cherche ? demanda Moelo, perplexe.

Goon parut embarrassé.

— Ben, j'ai un peu réfléchi. Le crash de la navette a dû provoquer la remise en route du navire-usine et, parallèlement, enrichir la soupe du lagon de pas mal de molécules complexes avec les corps des victimes. Et puis il y a eu les tempêtes, les éclairs, le corps de Carner… Tout cela peut servir de matière première à un synthétiseur de vie.

D'un geste brusque, Moelo enfonça la touche « Métaformer ».

Cela faisait maintenant plusieurs semaines qu'ils s'étaient écrasés sur cette planète. La position des deux soleils dans le ciel s'était subtilement modifiée. Au lieu de naviguer séparément, les deux astres se rejoignaient, semblant même se confondre quand ils étaient à leur zénith. La chaleur devenait alors insupportable. Le moindre effort se transformait en corvée impossible tant le brasier cosmique de ces deux étoiles réunies faisait peser la canicule sur les nuques. Les enfants devaient alors se réfugier au fond des cavernes pour échapper à la fournaise. La végétation roussissait, les feuillages s'étiolaient et le sable de la plage, soulevé par un vent sec, formait de longues lignes de dunes qui engloutissaient peu à peu la forêt.

L'eau commençait même à se faire rare. Le ruisseau qui alimentait le bassin était pratiquement à sec, et des algues brunâtres peu engageantes pour la baignade garnissaient la « piscine » d'où se dégageait une écœurante odeur de vase.

—L'argent va être plus facile à chercher, plaisantait Souris.

Élie, après quelques réticences, avait fini par introduire la monnaie dans leur petite colonie. Les pierres plates avaient été baptisées « galettes » et portaient toutes la marque difficilement imitable d'un poinçon que Toupie avait confectionné dans un cristal dur comme le diamant. Les Canaris avaient été les premiers à applaudir cette initiative. Chacune des petites corvées qu'ils effectuaient se voyait récompensée par une miraculeuse pierre, dont ils firent rapidement la collection. Par une curieuse ironie du sort, ils furent bientôt les plus « riches » et se payaient parfois des petits extras qui faisaient sourire tout le monde.

Pourtant, Souris perdit tout sens de l'humour le jour où Jos lui demanda à combien de galettes il estimait son astrolabe électronique.

—Plus que tu n'en auras jamais, répliqua-t-il vertement.

Élie, qui assistait à la scène, comprit qu'il ne fallait pas plaisanter avec l'argent. Plutôt que de considérer les galettes comme des sortes de bons points pour les Canaris, il établit un tableau des services rendus. La préparation des repas par Tiggy fut estimée à deux galettes, la surveillance des pièges par Toupie à une galette par tournée, et ainsi de suite. Chaque acte accompli pour la communauté fut jaugé à sa juste valeur. Ainsi, les efforts déployés par Tiggy pour filer des brins de chanvre qu'on pouvait tricoter afin de remplacer les habits qui partaient en lambeaux furent estimés à dix galettes, au moins, par pièce de tissu ajustée.

Dans la fournaise des jours « d'été » qui se succédaient, le temps paraissait taillé pour l'éternité. Les cavernes se garnissaient peu à peu de meubles rustiques et de commodités qui rendaient la vie plus facile. Les Canaris faisaient des efforts de maturité et s'efforçaient de se mettre au diapason de leurs aînés. Chacun avait son domaine de compétence et, lorsqu'un conflit ou une contrariété se présentaient, Élie prenait à cœur d'écouter les plaignants et de prendre une décision qui calmait les rancœurs.

Tiggy, après de multiples détours, s'était installée dans la portion de caverne dévolue au chef. Elle y occupait une petite niche qui préservait son intimité, mais passait de longues heures, dans l'obscurité tiède, à discuter avec Élie des événements de la journée. Ils abordaient toutes sortes de sujets pratiques, mais évitaient par un accord tacite d'aborder le cas de Moelo et de sa bande.

La blessure d'orgueil consécutive à leur honteux bannissement était encore vive. Tiggy, quant à elle, ne parvenait pas à chasser de son esprit le visage mort de Carner. C'était tout de même elle qui avait préconisé cette odieuse amputation inutile. Elle se sentait pitoyable, une sorte de caricature dérisoire des adultes qui, sans aucun doute, auraient réussi à sauver le malade.

— Tu crois qu'on va rester ici pour toujours ? murmura-t-elle un soir où l'orage grondait au loin.

— Peut-être… peut-être pas. Je crois que cela dépend

de nous, répondit Élie dans la pénombre à peine trouée par une torche. Tu as peur ?

—Oui, Élie, j'ai peur. Je ne me vois pas vieillir ici…

—Il paraît que ça arrive sans même qu'on s'en rende compte, dit Élie d'une voix qu'il voulait apaisante. D'un coup on cesse de courir et de jouer. On reste des heures assis, à manger et à parler de choses ennuyeuses, et on va se coucher en pensant au travail du lendemain…

—Je… je… ne suis pas tranquille, bredouilla Tiggy avec un sanglot refoulé dans la gorge.

Élie comprit parfaitement à quoi elle faisait allusion. Il se souvenait des allusions grossières de Bardinn et de certains regards graveleux des plus âgés.

—J'y pense parfois, dit-il avec difficulté. Je te protégerai quoi qu'il arrive… mais rassure-toi, nous ne moisirons pas ici. L'attaque de Mentor a forcément mis en branle une série d'enquêtes et d'explorations, et…

Il fut interrompu par un formidable coup de tonnerre qui parut déchirer l'espace protégé où ils se trouvaient. Quelques secondes plus tard, de grosses gouttes de pluie se mirent à marteler les feuillages à l'extérieur. Cela faisait des semaines qu'il n'y avait pas eu de précipitations.

Élie quitta sa paillasse et se planta à l'entrée de la grotte, les bras levés vers le ciel tourmenté. L'eau ruisselait sur son torse nu et il riait de bonheur.

—Ouah ! De l'eau enfin… Ça fait du bien…

Il se gorgea un moment de tout ce déluge céleste.

Tiggy le rejoignit, bientôt suivie par Souris et par Toupie, inquiétés par le raffut. Seuls les Canaris, exténués par les efforts de la journée, dormaient à poings fermés.

Privée de la clarté diffuse des étoiles, masquées par les nuages, la nuit était d'encre et seuls les flashs répétés des éclairs illuminaient les arbres secoués par le vent. Ce n'était pas une tempête comparable à la précédente, seulement un gros orage équatorial.

Le spectacle de toute cette eau inondant les roches du bassin avait quelque chose de fascinant. Le ruisseau grossissait de seconde en seconde, charriant dans son cours des branches brisées et de gros galets qui roulaient les uns sur les autres avec des grondements d'avalanche.

Alors que la pluie se calmait, un bourdonnement obsédant couvrit les autres bruits.

—Les mouches-rasoirs, cria Souris. Elles reviennent…

Une parade grossière avait été prévue en pareille circonstance. Pendant que Tiggy réveillait les Canaris, Toupie actionna une corde et un lourd filet tomba pour obstruer l'entrée de la grotte. Les mailles étaient théoriquement assez serrées pour interdire le passage de ces dangereux insectes. Pendant quelques minutes, la protection parut efficace. Les mouches se heurtaient à l'obstacle et s'y empêtraient. Les enfants gardaient les yeux fixés avec angoisse sur le mur d'insectes qui bruissaient contre le filet. Il semblait qu'il y en avait plus que la première fois, et de tailles différentes. Les plus petites réussirent à franchir le filet. Elles n'attaquaient pas vraiment les occupants de la caverne, mais volaient en tous sens en émettant des clic suraigus qui renseignaient leur sonar et leur permettaient d'éviter les parois malgré l'étourdissante vitesse de leurs évolutions. Les enfants se réfugièrent sous leurs paillasses et, pendant de longues minutes, entendirent les mouches-rasoirs effectuer leurs acrobaties. Puis le cauchemar s'éloigna, l'air ne vibra plus de sifflements. On ne percevait plus que le bruissement métallique qu'émettaient les ailes des mouches tombées au sol ou prisonnières du filet.

Ils sortirent de leurs abris. Cette fois, seul Toupie portait de minces blessures au front. Il avait été le dernier à se réfugier sous un lit, et quelques ailes coupantes l'avaient effleuré.

—On s'en tire à bon compte, commenta Tiggy, les lèvres pincées et le teint livide. Je n'ose imaginer ce que serait une véritable agression. Nous n'aurions aucune chance face à cette multitude naturellement armée de millions de couteaux…

Les Canaris, munis de gros bâtons, achevaient les bestioles qui se tortillaient sur le sol. Il leur fallait parfois donner plusieurs coups pour qu'elles s'immobilisent enfin, mais leur rage était à la hauteur de la peur qu'ils venaient d'éprouver.

—Les mouches-rasoirs attaquent à chaque fois après une tempête, fit remarquer Élie. C'est comme un signal…

—Ou un programme bizarre qui a besoin des décharges électriques puissantes des éclairs, marmonna Tiggy qui observait à la lueur d'une torche les cadavres amoncelés à l'entrée de la grotte. Cette migration n'a rien de naturel. Regarde, certains de ces insectes ont évolué et sont à la limite de ce que leur espèce peut espérer.

Elle montra un gros spécimen qui, empêtré dans le filet, bourdonnait avec frénésie.

—Tu as déjà vu un insecte dont l'envergure dépasse cinquante centimètres? fit-elle avec un mélange de dégoût et de fascination.

—On dirait plutôt un oiseau préhistorique! s'exclama Élie. Regarde sa gueule garnie d'une rangée de dents et le poil bleuté qui recouvre son ventre, seules les ailes font penser à celles des libellules…

—Ce sont des chimères. Des mélanges de plusieurs catégories du monde animal. Ces mouches ne sont pas vraiment des mouches…

—Alors c'est quoi? intervint Toupie qui commençait à écrabouiller prudemment entre deux pierres les insectes pris dans le filet.

—Des monstres importés ou fabriqués, murmura Tiggy. Je ne vois pas ce qu'ils font ici dans une nature stérile…

Les nuages se déchiraient, révélant un ciel lavé, piqueté d'étoiles. Une épaisse vapeur de buanderie traînait sur la forêt saccagée. Le ruisseau charriait des cadavres d'insectes, qui s'entassaient dans le bassin jusqu'à former une couche uniforme d'une vingtaine de centimètres d'épaisseur.

—C'est écœurant, commenta Souris. Comment allons-nous nettoyer notre piscine?

Élie haussa les épaules en signe d'impuissance.

—Je me demande comment la bande à Moelo a traversé cette attaque, dit-il le front soucieux.

—Tu crois vraiment que c'est encore notre problème? protesta Tiggy.

Élie se raidit.

—Certainement... dit-il d'un ton grave. Nous faisons tous partie de la station Mentor. Si une navette de secours apparaissait à ce moment précis, le commandement de bord nous demanderait des comptes et ne comprendrait pas nos querelles...

—Ce n'est tout de même pas toi qui as ouvert les hostilités. Tu risquerais de prendre une rafale de laser en retournant sur la plage sans l'autorisation de Moelo.

Toupie s'avança en levant la main comme pour demander la parole.

—Moi, je peux y aller, déclara-t-il. Souris m'accompagnera.

—On les énerve moins que vous, approuva Souris.

Élie se détendit, réconforté par la solidarité spontanée des deux garçons.

—OK. Vous partirez demain matin. Et vous serez prudents, hein? Pendant ce temps, nous nettoierons le campement de toute cette infection.

14
La chasse aux cochêvres

Au petit matin, les deux garçons s'équipèrent pour leur randonnée. Il fallait prévoir une provision d'eau et des armes. Souris examina longuement l'aile d'une mouche-rasoir. Munie d'un manche, elle aurait fait un sabre redoutable. Il hésita, puis finit par renoncer et rejeta le monstre avec une grimace de dégoût.

Une longue expérience des coups de soleil et des divers malaises liés à la déshydratation leur avait appris à se protéger de la rigueur des deux soleils. Ils posèrent sur leurs épaules de longues capes de palmes tressées qui leur descendaient jusqu'aux chevilles et sur leurs crânes des chapeaux d'osier qui maintenaient leurs visages à l'ombre, et se mirent en route.

Ils marchaient dans la mesure du possible sous le couvert des arbres et faisaient des haltes fréquentes, pendant lesquelles ils grignotaient un fruit et avalaient quelques gorgées de la calebasse qui leur servait de gourde.

Depuis les grandes chaleurs, la forêt avait perdu de

sa densité. Des broussailles sèches encombraient les sous-bois. Le sol sablonneux avait déjà absorbé les trombes d'eau de la nuit. Il fallait se méfier des épines, plus redoutables que jamais, et des lourdes graines effilées qui tombaient de certains arbres comme des shrapnels meurtriers.

De nombreux arbres ne résistaient pas à cet été torride. Leurs troncs et leurs couronnes dépouillées dessinaient des squelettes pierreux aux silhouettes tordues, qui surprenaient parfois les deux randonneurs tant elles adoptaient des formes étranges.

—Si ça continue, on ne trouvera bientôt plus rien à manger dans la forêt, soupira Toupie, qui ouvrait la marche.

—Il nous restera les mouches-rasoirs, murmura Souris.

Toupie eut un haut-le-cœur.

—Tiens, oui, je n'y avais pas pensé. En purée, ce doit être excellent… ou en brochette, peut-être… fit-il en s'efforçant d'adopter le ton de la plaisanterie.

—Tu crois qu'elles reviendront?

—Je n'en sais rien. Les mauvaises choses s'arrêtent rarement toutes seules…

Ils arrivèrent à la lisière de la forêt. Les eaux de ruissellement avaient creusé de nombreuses ravines, mettant la roche à nu, et de hautes dunes récemment formées barraient l'accès à la mer.

Ils entreprirent d'escalader cet obstacle inattendu, mais durent bientôt y renoncer. Le sable était si fluide qu'il fuyait sous leurs pieds en longues coulées instables. Toupie eut très peur en voyant son compagnon pris dans une de ces avalanches poudreuses. Il eut toutes les peines du monde à le sauver de l'engloutissement.

Comprenant le danger, ils rebroussèrent chemin. Au pied de la grande dune, la chaleur faisait penser à celle d'un four dont on aurait oublié de fermer la porte.

—On va griller ici ! suffoqua Toupie. Retournons dans la forêt.

Il soutenait Souris, qui défaillait. Dans sa lutte contre le sable, ce dernier avait perdu sa calebasse et une partie de son équipement.

—Ce n'est pas grave, le consola Toupie une fois qu'ils furent à couvert. On a assez d'eau pour tenir jusqu'à la plage. Tu sais bien qu'il y a une source, là-bas…

—Si les autres nous laissent y aller, gémit Souris.

L'aîné essuya le front couvert d'une poussière blanchâtre du gamin.

—On est des êtres humains, pas des sauvages. Je ne vois pas Moelo en train de nous condamner à mourir de soif. Après tout, on vient en amis pour voir s'il n'y a pas eu trop de dégâts dans leur camp. Pas vrai ?

Souris l'observait par-dessous, les lèvres tremblantes, le regard chaviré.

—Tu ne vas tout de même pas craquer ! fit Toupie en lui donnant une bourrade. Tu es un grand, maintenant… D'ailleurs, tu me dépasses presque d'une tête !

—C'est les jambes, uniquement les jambes, répliqua le gamin d'une voix atone.

—Asperge, ce n'est pas mal pour un début… Tiens-toi droit !

Tout en s'efforçant de remonter le moral de son compagnon, Toupie se rendait compte qu'il était loin d'être rassuré lui-même. Le contournement de la dune allait leur prendre beaucoup de temps, et ils ne connaissaient pas cette portion de forêt accidentée.

Ils reprirent leur marche, après avoir presque vidé la gourde qui leur restait tant la soif les torturait. Les obstacles se succédaient sans que les enfants puissent se rendre compte s'ils étaient dans la bonne direction ou s'ils s'éloignaient de leur but.

Alors qu'ils franchissaient une crête de plus, le corps inondé de sueur, les mains et le visage griffés par les ronces, ils entendirent un froissement de feuillage suivi d'un trépignement sourd qui les pétrifia sur place. C'était la première fois qu'ils entendaient ce genre de bruit dans la forêt.

Toupie plaça une flèche dans son prolongateur et mit un genou en terre, se plaçant en position de tir, alors que Souris jugea plus prudent de se dissimuler derrière un tronc. Le bruit se rapprochait, accompagné de grognements rauques et de bruits de branches cassées. Soudain, une masse sombre surgit de la frondaison. C'était un quadrupède bâti comme un petit char d'assaut, bas sur pattes, hérissé de poils raides comme des piquants. Il fonçait tête baissée, et son front était orné d'une paire de cornes noires. Toupie, estomaqué, laissa passer l'animal sans réagir mais, déjà, un deuxième monstre surgissait, animé d'une allure plus incertaine. Il poussait des cris stridents et galopait de travers, une flèche plantée dans sa croupe.

Comme il se dirigeait droit sur lui, Toupie décocha son trait sans faiblir. La javeline se planta dans le torse de l'animal, qui fit encore quelques pas avant de s'effondrer dans les fourrés. Quelques secondes plus tard, d'autres formes apparurent. Toupie, qui avait placé une autre flèche dans son prolongateur, mit un moment à réaliser qu'il n'avait pas affaire à des animaux. Les torses nus recouverts d'une couche d'argile blanche et les peintures de guerre qui ornaient les visages ne lui avaient pas permis de reconnaître Bardinn et Kort, un des jumeaux. Ils étaient nus hormis une ceinture de peau qui leur couvrait les hanches et un casque garni de feuillages piquants.

—Qu'est-ce que tu fais ici ? hurla Bardinn en pointant sa lance dans la direction de Toupie.

—On a perdu le cochon, maintenant... renchérit Kort avec un geste de dépit.

Toupie se releva, très digne. Sa longue cape, le harnachement de fibres tressées et cousues qui portait son équipement, son chapeau incliné en faisaient réellement le membre d'une autre tribu.

— Par ta faute, on l'a laissé s'échapper, éructa Bardinn, de fort méchante humeur. Tu es ici sur nos terres. Moelo avait été pourtant très clair en vous bannissant.

Toupie secoua la tête avec patience.

—On vient voir si la tempête n'a pas fait trop de dégâts dans votre campement. Quant à ce que vous appelez le « cochon », il a pris une de mes flèches dans le râble. Il n'est sûrement pas loin.

—C'est ce qu'on va voir, fit Bardinn d'un air sombre.

Il avisa Souris, qui sortait de sa cachette.

—Tiens, voilà l'autre débile, grommela-t-il. Vous avez une de ces touches dans vos imperméables…

—Vous ne vous êtes pas vus, répliqua Souris d'une voix frémissante. Il ne vous manque plus que des os dans le nez pour compléter le look ; et vos quéquettes à l'air, ce n'est pas spécialement élégant.

—Tu entends cet échalas ? jeta Kort, le visage mauvais.

Il se dirigea vers Toupie, le toisa avec hostilité et lui arracha son arme de jet.

—Pas de ça ici, annonça-t-il. Tu n'es pas un chasseur…

Toupie se laissa faire avec un haussement d'épaules.

—Vous êtes peut-être des chasseurs, mais en attendant c'est moi qui ai atteint votre gibier. M'est avis que si vous fouillez dans ces buissons, vous le trouverez.

Kort explora rapidement les environs et poussa une exclamation :

—Le cochon est ici !

Ils firent tous cercle autour de l'animal, qui agonisait en poussant des gémissements rauques.

—Vous appelez ça un cochon ! fit Toupie, horrifié.

L'allure générale de la tête rappelait celle d'un sanglier, mais les deux cornes qui ornaient son front ne cadraient pas avec le reste. Quant à la gueule, c'était un véritable cauchemar : des yeux à facettes comme ceux des insectes et deux crochets acérés ressemblant à une paire de pinces en guise de dentition.

—Un « cochêvre », si tu préfères, dit Bardinn en s'approchant avec précaution de l'animal.

Il planta son couteau dans l'échine du monstre, qui cracha une bave rosâtre, et exerça une forte traction circulaire qui détacha la tête du reste du corps.

—Voilà ! annonça Bardinn avec satisfaction en donnant un coup de pied au masque de cauchemar. Une fois décapité, ce machin fait un bon cochon à la chair savoureuse…

—Vous avez des lames en fer, maintenant ? s'étonna Toupie en avisant l'arme luisante du lieutenant de Moelo.

Bardinn partit d'un gros rire.

—Et bien d'autres choses encore qui vous feront regretter de nous avoir quittés. Allez ! Pour la peine, vous allez porter notre prise jusqu'au camp. Si vous êtes bien sages, on vous laissera ronger quelques os…

La surprise était de taille. À la place des cahutes misérables adossées contre les grottes de la falaise, c'était une ville de fer qui les attendait. Une digue de pierres reliait un vaisseau spatial à la terre ferme. Des cabanes de feuillages s'accrochaient aux superstructures, ménageant des terrasses et des maisons suspendues. Des ponts de lianes reliaient ces différentes installations, mais on devinait que l'essentiel se passait à l'intérieur de cette véritable forteresse.

— Ça vous en bouche un coin, hein ? fit Bardinn en se rengorgeant.

— Mais comment... commença Toupie, interloqué. C'est quoi ce...

— Cherche pas à comprendre. Un cadeau de la tempête, ironisa Kort en portant à sa bouche une corne qui émit un son puissant.

Aussitôt, les enfants apparurent en agitant les bras. Ils portaient des masques d'argile et des peaux de cochêvre. Moelo exhibait, dans son abondante chevelure tressée, une parure faite de dents percées.

— Tiens, tiens, on a de la visite, jeta-t-il avec un rire féroce.

Il se tourna vers les deux chasseurs et ajouta :

— Ces deux petits pouilleux sont vos domestiques ?

— C'est Toupie qui a achevé le cochon, précisa Kort avec un curieux souci de justice, mais ces deux bannis n'avaient rien à faire sur notre territoire.

— Exact ! tonna Moelo. Qui vous a permis d'enfreindre la sanction ?

Toupie fit une grimace.

— Dites-moi, les copains, vous jouez à quoi au juste ? Élie s'inquiétait de savoir si vous aviez réchappé à l'attaque des mouches-rasoirs et...

Une gifle lui coupa la parole.

—Il va falloir que tu changes de ton devant le capitaine, gronda Bardinn, la main encore levée pour une deuxième tournée.

—Laisse-le, murmura Moelo, bon prince. Toupie a toujours eu la parole et les décisions un peu légères. Je veux bien lui pardonner ses insolences ; et, comme il a tué le cochêvre, il aura le droit de partager notre repas en chasseur…

—Le chef est trop bon, dit Toupie sur un ton frondeur.

Moelo le prit par les épaules et le poussa vers l'intérieur du vaisseau. Souris leur emboîta le pas sous les quolibets des gamins railleurs, qui se moquaient de sa cape et de son immense chapeau.

—Vois-tu, Toupie, les choses ont changé ici, expliqua Moelo. Après le départ d'Élie, j'ai pris les choses en main, et personne ne se plaint de la nouvelle donne. Tu es un garçon intelligent et tu m'es sympathique, même si tu ne sais pas jouer au palet. Si, après le repas, tu changes d'avis, je suis prêt à passer l'éponge et à t'accueillir dans le camp en qualité de chasseur. Tu as prouvé que tu étais digne de cette fonction…

Toupie serrait les dents pour ne pas répondre et regardait avec ahurissement les coursives de ce vaisseau mystérieux qu'ils parcouraient au pas de course. Les parois étaient décorées de trophées de chasse et de graffitis obscènes peints au charbon de bois. On devinait, derrière les portes de fer entrouvertes, des paillasses en désordre et des cantines crasseuses.

— Tout le monde se sent en sécurité ici, expliqua Moelo. Ce bâtiment est solide. Il nous protège de la pluie, du vent et des autres périls de l'extérieur. Le métal qu'on y trouve nous permet d'améliorer nos armes et nos outils, et il y a mieux encore…

Ils parvinrent à la salle de commande, où Janis les accueillit avec un hoquet de surprise.

— Ça alors ! Toupie et Souris ! s'exclama-t-il avec une certaine chaleur dans la voix. Comment vont les autres ?

Bardinn lui lança un regard désapprobateur, mais, rongé par la curiosité, laissa la conversation s'engager.

— Nous avons trouvé un endroit facilement défendable avec un réseau de grottes creusées par les eaux, annonça Toupie prudemment. Nous avons même réussi à repousser la dernière invasion des mouches-rasoirs.

Janis eut un petit sourire moqueur.

— Je devine à vos tenues que le chef vous a fait travailler sur des métiers à tisser. Vous ne devez pas chômer…

— C'est mieux que de se balader à poil, répliqua Souris vertement.

— Il a pris de l'assurance, ce petit ! jeta Janis.

— Ce n'est plus un petit, rectifia Toupie sur ses gardes.

— Bon, assez jacassé, intervint Moelo. Janis, montre-leur notre usine à viande. Depuis qu'ils ont vu un cochêvre, ces gamins se posent quelques questions.

Janis activa les écrans et fit quelques manipulations complexes pour obtenir les diagrammes des séquences d'ADN.

—Tu irais plus vite en faisant comme ça, dit Souris en pianotant sur la console avec dextérité.

Janis se gratta la nuque avec perplexité.

—C'est pourtant vrai, admit-il.

—J'ai beaucoup joué avec ce genre d'appareil. C'est de mon âge, dit Souris avec cette rougeur caractéristique qui lui montait aux joues dès qu'il osait se rebiffer.

—Peu importe, trancha Moelo. Nous sommes ici dans un navire-usine des Zarks. Les unités de propulsion sont mortes, mais les synthétiseurs de nourriture fonctionnent encore. Finies les corvées de cueillette. Nous avons de la viande en abondance.

—Tu veux dire ces créatures de cauchemar avec une tête d'insecte qu'il faut tuer dans la forêt? demanda Toupie, le front plissé d'incrédulité.

Moelo marqua un temps d'hésitation. Janis vola à son secours.

—Nous ne savons pas très bien comment les opérations de synthèse se déroulent à partir du moment où nous pressons sur le bouton « Métaformer ». Il semble que tout se passe dans l'eau du lagon, et que les résultats éclosent sur la plage…

—Ce bouton-là? demanda Souris en avançant un doigt.

—Pas touche! cria Bardinn en bousculant le garçon.

—Ce n'est pas très malin ce que vous faites, commenta Souris, indigné. En cherchant bien, il doit exister dans ce programme un lexique des formes de vie existantes, ce qui éviterait de créer des animaux de carnaval en saisissant s'importe quoi…

—Écoutez ce morveux ! rugit Bardinn en l'envoyant valdinguer d'une violente poussée.

—Touche pas à Souris, gros lard ! cracha Toupie, prêt à affronter le garçon qui le dominait d'une bonne tête.

Moelo calma le jeu.

—Arrêtez tous les deux, vous me fatiguez.

—Il vaut mieux que nous repartions tout de suite, décida Toupie. Je vous offre ma part de chasse, je ne tiens pas à partager votre « repas ». Il nous faut juste un peu d'eau et nous quittons ces lieux sur-le-champ.

—Il n'y a pas de raison d'abreuver ces soiffards, dit Bardinn, qui n'arrivait pas à dominer sa rancœur. La source d'eau potable est presque tarie.

Toupie se raidit et fusilla le garçon du regard.

—Très bien. On se passera complètement de votre hospitalité, et ne vous avisez pas de traîner sans drapeau de négociation autour de notre camp. Il y a des pièges qui font mal…

Il se tourna vers son compagnon et ajouta :

—Viens, Souris, nous n'avons plus rien à faire ici et on trouvera la sortie sans le portier de service…

Moelo retint Bardinn par le bras et laissa les deux garçons quitter la salle de commande sans émettre le moindre commentaire.

—Quelle bande de salauds! fulmina Toupie quand ils furent tous les deux sur la grève.

Les soleils baissaient à l'horizon et couronnaient le vaisseau-usine de feux mourants. Les palmes couvrant les superstructures flamboyaient comme des drapeaux.

—Qu'est-ce qu'on fait? questionna Souris.

—Tu as été très bien, commença Toupie dans un claquement de doigts…

Il gloussa et ajouta :

—J'ai aussi soif que toi, mais je n'avais pas envie de rester une minute de plus dans ce trou à rats. On va prendre un autre chemin pour rentrer. Avec un peu de chance, notre piste croisera un ruisseau. Si on marche bien, on arrivera au camp avant la nuit, surtout que la chaleur est un peu tombée.

Ils n'avaient pas fait une centaine de mètres qu'ils entendirent un bruit dans les fourrés. En le désarmant, Bardinn n'avait pas prêté attention aux grenades végétales qui traînaient au fond du sac de Toupie. Le garçon saisit avec précaution une de ses petites bombes et se tint prêt à la lancer dans la direction de la menace.

—C'est moi, les copains! fit une petite voix.

—Pelote! Tu aurais pu te signaler plus tôt, s'exclama Toupie.

La fillette portait un pagne de peau, et un collier de noix colorées bringuebalait sur son torse. Ses lèvres étaient peintes d'un jus bleu, et ses paupières colorées avec de la poussière d'argile.

—Tu en as une tête! s'étonna Souris, qui ne savait

trop comment interpréter toutes ces coquetteries de grande fille.

—Ils… ils veulent que je me maquille, balbutia-t-elle.

—Qui « ils »? questionna durement Toupie.

—Bardinn, les jumeaux, mais surtout Goon.

Elle baissa la tête et précisa :

— C'est pas drôle depuis que vous êtes partis. Ceux qui ne sont pas chasseurs n'ont rien à dire, et si on râle, on est privés de repas…

—Viens avec nous, alors, proposa Toupie.

—Je ne peux pas, mais je vous ai apporté ça, dit-elle très vite en tendant une outre en peau de cochêvre remplie d'eau.

Les deux garçons se précipitèrent sur la gourde et se désaltérèrent jusqu'à plus soif. Chaque gorgée coulait délicieusement dans leurs bouches plâtreuses.

—Merci, Pelote! On ne t'oubliera pas…

Toupie réfléchissait tout en parlant.

—Je reviendrai dans une semaine, dit-il, mais je n'irai plus jusqu'au vaisseau, nous avons été trop mal reçus. Je t'attendrai ici pendant quelques heures. Si tu as changé d'avis d'ici là…

Pelote secoua la tête. Son visage peint semblait incapable d'exprimer un sentiment clair.

—Merci, Toupie, fit-elle simplement. Tu as toujours été très gentil… Il faut que je rentre, sinon on va me demander où j'ai traîné pendant la préparation du repas des chasseurs…

15
Prise au piège

L'ambiance autour du feu était étrange. Plus Toupie et Souris multipliaient les détails sur leur périple et analysaient le comportement belliqueux de Moelo et de son équipe, plus les autres se taisaient, échangeant parfois des regards en cachette ou posant des questions distraites dont ils n'écoutaient pas les réponses. Même les Canaris semblaient ailleurs.

—Mais qu'avez-vous donc ? finit par s'impatienter Toupie. Ça ne vous intéresse pas ce qu'on raconte ?

Élie et Tiggy eurent à nouveau un regard entendu, ce qui eut le don d'exaspérer définitivement Souris.

—C'est pas bientôt fini ces petits secrets ! se plaignit-il. Allez ! Vous ne valez pas mieux que Moelo et sa bande.

—Attendez-vous à une grosse surprise, murmura Tiggy.

Tous les visages, autour du feu, étaient tendus. Le léger vent marin brisait le silence qui, d'ordinaire, pesait comme une chape sur la forêt. On entendait des craquements de bois qui se fendait, des bruissements de feuillages secs, et le vent en pénétrant dans la grotte éveillait une sorte de plainte lugubre ressemblant au râle d'un dormeur.

—Un de tes pièges a fonctionné, annonça Élie d'un air grave.

—Lequel?

—Le trou qu'on a creusé près de la lisière dans le sol sablonneux.

—Ouais, se souvint Toupie. Quand on est au fond, impossible de ressortir avec des parois aussi friables, et en plus on l'a garni de bambous coupants… Alors?

Toupie s'attendait à ce qu'on lui annonce qu'un cochêvre ou qu'un autre animal du même acabit avait été capturé. Avec les expériences de Moelo, il fallait peu à peu se faire à l'idée que des animaux autres que les mouches-rasoirs existaient sur ces terres autrefois stériles.

—Nous avons capturé une Arachnos, dit Élie d'une voix blanche.

—Quoi?

Pendant un instant, on entendit seulement le gémissement du vent et le crépitement du feu.

—Et vous avez réussi à la tuer? questionna Toupie dans un hoquet de répulsion.

—Non, justement, répondit Élie avec précaution.

—Si elle est au fond du trou, il suffit de l'écraser avec de grosses pierres ou de verser les restes du feu dans le piège.

—Tiggy ne veut pas ! s'exclamèrent en même temps les Canaris.

Toupie se frotta nerveusement les yeux comme s'il avait de la peine à se réveiller.

—Tiggy ne veut pas qu'on tue une Arachnos… répéta-t-il mécaniquement.

La jeune fille se pencha dans la lumière du feu. Le petit tic nerveux qui déformait sa bouche par intervalles trahissait sa tension.

—La bête… l'Arachnos est blessée… commença-t-elle péniblement. Je suis d'avis qu'il ne faut pas la tuer…

—Ne pas tuer une Arachnos ! s'indigna Toupie. Est-ce qu'elles ont hésité, elles, à nous tirer comme des lapins dans les couloirs de Mentor. Je vais régler ce problème très rapidement…

Tiggy le retint alors qu'il se levait, en fureur.

—Je m'y oppose…

Toupie se rassit, anéanti :

—Vous êtes malades… S'il y en a une, il y a forcément une colonie dans les environs. Cette vermine est grouillante comme les mouches-rasoirs.

Élie leva la main pour demander la parole. Le geste était suffisamment apaisant pour qu'on fasse taire toute querelle.

—Dans un premier temps, j'ai réagi comme toi, Toupie. Sur le fond, je suis d'accord avec toi : c'est à cause des Arachnos que nous sommes exilés sur cette planète. Ce sont des ennemies impitoyables. D'un côté comme de l'autre, on ne fait de prisonniers que pour les envoyer sur la table de vivisection. Jusqu'à votre retour, j'étais opposé à l'idée d'épargner ce... cette chose. Le fait que Moelo et sa bande occupent un navire-usine mystérieusement échoué sur ce monde change les données du problème. L'Arachnos devait faire partie de l'équipage.

Toupie secoua la tête avec véhémence.

—Il n'y a aucun moyen de communiquer avec ces bestioles. Elles préfèrent se laisser tailler en pièces comme des bouts de bois plutôt que d'émettre la moindre information. C'est dans leur programme... Et dès qu'on baisse la garde, elles vous attaquent de façon suicidaire ou se donnent la mort.

—C'est ce qu'on nous a toujours dit, intervint Tiggy. Nous avons tous en tête ces images d'Arachnos avec leurs crochets venimeux, leur filière qu'ils utilisent pour tisser des fils d'une incroyable résistance et leurs tenues de combat, réduites au strict minimum mais toujours redoutables. Le spécimen que nous avons capturé est de petite taille et ne porte pas de cuirasse...

—Et alors ? lança Toupie d'une voix moins ferme.

—C'est un enfant comme nous, une fille...

—Une fille ?

Il y eut un long silence.

—Le terme te choque ?

Toupie se troubla :

—Je crois me souvenir que les mâles arachnos ne jouent pas un grand rôle dans leur organisation sociale.

—Et alors, ça te dérange qu'une femelle ait son mot à dire dans la conduite des affaires ?

Toupie poussa un soupir de découragement.

—Je me fais bousculer par une bande de voyous chez Moelo, et ici j'ai tout faux. Expliquez-moi ce mystère…

Élie se leva et prit un brandon dans le feu.

—Allons la voir, on causera après, proposa-t-il à mi-voix.

La lisière de la forêt n'était pas bien loin. Ils s'y rendirent en troupe, éclairés par des torches dont la fumée dérivait au gré du vent. Les Canaris échangeaient des regards apeurés, mais suivaient le mouvement.

—Nous avons posé un filet par-dessus le piège, expliqua Élie lorsqu'ils furent devant le trou.

On dégagea l'ouverture pour illuminer l'intérieur de la fosse. Les quatre torches dispensaient une lumière fantomatique.

Il y eut un mouvement tout au fond du piège : un grouillement de pattes, puis un sursaut. Une paire d'yeux phosphorescents les fixait avec crainte.

—Mon Dieu que c'est laid ! s'écria Toupie.

—Elle doit penser la même chose de nous, dit Tiggy en se penchant sur le trou. Regarde, elle ne peut plus se tenir debout. Trois de ses pattes ont l'air paralysées ou brisées.

—Ça lui en laisse toujours cinq, fit remarquer Ariane, qui se tenait à distance prudente de la fosse.

Souris s'était penché au bord du trou pour mieux observer le monstre.

—Elle a l'air d'avoir peur, observa-t-il. Je connais ça… Ou peut-être a-t-elle faim.

Avant qu'on puisse le retenir, il avait tendu un bras dans le trou pour tendre un fruit.

L'Arachnos cracha, fit un petit saut et s'écroula, impuissante, dans une avalanche de sable.

—Elle a essayé de te mordre, cette saloperie ! s'énerva Toupie.

—Mais non, elle a cherché à atteindre le fruit, dit Souris, tout frémissant d'une émotion qu'il essayait de dissimuler. D'ailleurs, je l'ai lâché…

Le premier soleil venait d'apparaître au-dessus des crêtes des montagnes intérieures. Le ciel lavé de tout nuage tendait sa toile bleu pâle dans un ciel où luisaient encore quelques étoiles à forte magnitude. L'humidité laissée par la dernière tempête n'était plus qu'un souvenir, et la journée promettait d'être torride.

Souris n'avait pas fermé l'œil de la nuit. La bouche pâteuse, il traînait au bord du bassin dont les eaux brunâtres n'incitaient guère à la baignade. Les autres dormaient encore ou faisaient semblant…

Il portait, serré contre sa poitrine, l'astrolabe dont il s'efforçait, jour après jour, de décrypter les paramètres. Une chose l'intriguait : pourquoi le territoire des Arachnos recoupait-il celui des Terriens dans l'immensité de la galaxie ? N'aurait-on pas pu imaginer dans de telles poussières d'étoiles étalées à l'infini que ces deux forces hostiles ne se rencontrent pas ? Peut-être étaient-elles reliées d'une façon ou d'une autre à l'ancienne civilisation zark disparue ? Il fallait croire que le rendez-vous était inévitable, et pas toujours agréable. C'était ce que devait se dire l'Arachnos au fond de son piège, loin des siens, entourée d'ennemis armés de torches, hurlant des paroles incompréhensibles et prêts à l'achever à l'aube.

Il prit soudain une résolution insensée, de celles qui mettent toutes les interrogations à plat. Laissé à lui-même, il en avait bien le droit après tout ; depuis le temps qu'on lui disait qu'il était un « grand » ! L'astrolabe bien rangé dans son sac à dos, il se dirigea d'un pas décidé vers la lisière de la forêt. De jour, le piège paraissait moins impressionnant. Il lui suffit d'écarter quelques feuillages et…

— Bonjour, vous ! fit-il en se penchant sur le trou.

Le fruit qu'il avait laissé tomber la veille gisait, intact, à côté d'une petite masse grisâtre repliée sur son immobilité. Il tenta quelques appels vocaux puis, devant l'absence de réaction, envoya un galet au fond du trou.

L'Arachnos frémit, agita faiblement quelques pattes, mais ne montra pas ses yeux. Elle faisait la morte. Sans doute ne jouait-elle plus trop la comédie, car une nuit passée dans ce cachot sablonneux avait eu peu à peu raison de ses défenses naturelles. Dans la nuit, elle avait essayé de tisser une échelle de soie pour sortir du piège, mais les parois étaient si friables que sa tentative d'évasion s'était écroulée sur elle. Maintenant, elle attendait la fin, repliée sur sa misère.

Souris l'observa un long moment. On ne lui avait jamais montré une Arachnos en position d'abandon, mais toujours des images d'agression, des postures d'attaque et des chélicères[2] menaçants. Cette chose recroquevillée et affaiblie inspirait plutôt la pitié.

Pris d'une brusque inspiration, il fit glisser dans le fond du trou son astrolabe retenu par une simple liane de chanvre. La boule de métal roula au fond du trou et vint se loger contre le corps immobile de l'araignée. Il n'y eut d'abord aucune réaction, puis les pattes de la créature se mirent en mouvement, maladroitement d'abord, puis de plus en plus rapidement. Nul doute qu'elle manipulait l'objet en connaissance de cause.

Le garçon remonta l'astrolabe. Il avait été activé et montrait une portion de la galaxie qui appartenait à l'empire des Arachnos. L'étoile M.24 y était en sur-brillance.

—C'est de là que tu viens, c'est ça ? fit-il en se penchant sur le trou.

Cette fois, l'Arachnos montra ses yeux et Souris eut un mouvement de recul tant la fixité de ce regard était inquiétante. Elle émit un faible sifflement, et une mousse baveuse sortit de sa gueule entrouverte.

—Tu as peut-être soif ? fit le garçon en transmettant par la même voie que l'astrolabe la gourde de peau de cochêvre que lui avait donnée Pelote.

L'araignée se précipita sur l'offrande, la déboucha

2. On appelle ainsi les crochets des araignées.

sans effort avec ses deux pattes antérieures et s'abreuva au filet d'eau qui coulait dans le sable.

—Mais que fais-tu là ?

Souris fit un bond en arrière et affronta le visage sévère de Tiggy, le cœur battant la chamade.

—Je… je lui donne à boire, bredouilla-t-il.

—Elle a accepté ? fit-elle, interloquée.

—Regarde toi-même.

La jeune fille jeta un coup d'œil au fond du trou.

—En effet. Elle devait avoir soif, mais elle n'a pas touché à ton fruit car elle a peut-être pensé qu'il était empoisonné. On dirait qu'elle a deux pattes brisées, elle évite de les poser sur le sol.

—Elle souffre ?

—Sûrement, et elle a très peur. Tu réagirais comment si tu étais tombé dans un piège et qu'une bande d'Arachnos tournaient autour du trou.

—Je serais mort de trouille, avoua Souris. On pourrait peut-être la soigner… Ce serait inhumain de la laisser crever là…

Tiggy le dévisagea longuement :

—Tu le penses vraiment ?

—Ben oui ! On la capturerait avec un filet et on l'enfermerait dans une cage. De cette façon, on pourrait lui immobiliser la gueule pour éviter qu'elle ne nous morde… Qu'est-ce qu'on risque ?

Tiggy hésitait.

—La panique des Canaris, la colère de Toupie, peut-être aussi celle d'Élie, dit-elle songeuse. Je crois que ces araignées intelligentes les font vomir… Et toi, tu ne les crains pas ?

—Oh si ! s'exclama le garçon, mais celle-là a l'air apprivoisable. Elle m'a même indiqué sur l'astrolabe d'où elle venait : le système M.24…

—Oui, en effet, dit-elle en consultant l'astrolabe que lui tendait le garçon. N'oublie pas que ces créatures sont au moins aussi intelligentes que nous. Ce ne sont pas des animaux.

—Je le sais bien, Tiggy, c'est ça qui est intéressant…

—Et dangereux !

Souris eut une grimace un peu triste :

—Peut-être oui, peut-être non… Quand j'ai vu Moelo et sa bande d'excités nous menacer, je me suis demandé s'ils étaient vraiment des nôtres. Ils avaient des mines si hostiles… Alors une petite Arachnos blessée…

Tiggy se releva avec une allure décidée.

—On va prendre une initiative tous les deux. Après tout, on forme une petite société démocratique où chacun a son mot à dire. De toute façon, cette bête est blessée et moribonde. Elle ne passera pas la journée avec la chaleur qui s'annonce. Ce serait inutilement cruel de l'abandonner à son sort, ou alors on l'achève sur-le-champ…

Leurs regards se croisèrent furtivement. Ils savaient très bien tous les deux qu'ils étaient incapables de porter le coup de grâce.

— Je vais chercher un filet et un de ces gros paniers de bambou où on met les fruits, ça devrait faire l'affaire pour la tirer de son trou, décida Souris. On verra ensuite…

Les autres dormaient encore quand ils jetèrent le filet au fond du piège. Ils s'attendaient à une capture difficile, mais l'Arachnos ne fit aucune difficulté et se blottit d'elle-même au fond du filet qui promettait de la sortir de sa prison. La faire entrer dans la cage fut plus délicat. Elle s'arc-boutait sur ses pattes valides et crachait pour éviter cette nouvelle forme de captivité.

Dans la mêlée, Tiggy toucha pour la première fois l'abdomen de la grande araignée. C'était chaud et duveteux. Elle eut un réflexe de recul.

Leurs efforts finirent par payer, et l'Arachnos s'abandonna. La cage était un peu trop exiguë, mais la créature avait une façon bien particulière de se tasser sur elle-même et de diminuer de volume. Ils transportèrent la cage à l'ombre de la grotte. La créature devait bien peser ses quinze kilos.

—Qu'est-ce qu'elle est lourde pour un insecte ! souffla Souris, mal à l'aise.

—C'est un arthropode, un ancêtre des insectes, expliqua Tiggy, volontairement professorale pour dissiper les craintes du garçon. Sur Terre, à l'ère primaire, des mille-pattes pouvaient atteindre près d'un mètre cinquante de longueur. Et même sur Afgor, il existe des scolopendres tropicales de plus de quarante centimètres.

—Quelle horreur ! frémit Souris, qui évitait de regarder en direction de la cage.

Le plus difficile restait à faire : tenter de soigner leur prisonnière. Tiggy n'avait jamais entendu dire qu'on avait apporté des secours médicaux à une Arachnos. Le réflexe phobique était si violent et on craignait tellement les réactions de ces redoutables prédatrices qu'on commençait en général par les tuer avant de les examiner. Aussi Tiggy avança-t-elle une main très hésitante en direction de la cage.

Heureusement qu'elle était seule avec Souris. Les mises en garde et les avertissements des autres garçons, les cris hystériques des Canaris lui auraient fait perdre son sang-froid. Avec beaucoup de précautions, elle palpa une des pattes lésées de l'Arachnos. Cette dernière frémit, mais se laissa faire.

Tiggy explora la patte jusqu'à sa jonction avec l'abdomen. Le contact de ce membre hérissé de fines barbelures coupantes était rude.

— Il y a une fracture, murmura-t-elle. Je vais poser une attelle, mais je ne suis pas bien sûre que c'est ce qu'il faut faire. J'ignore comment les tissus de ces créatures se régénèrent.

— Si ça ne fait pas de bien, ça ne peut pas faire de mal, fit Souris en haussant les épaules.

Il s'était enhardi jusqu'à gratter du bout du doigt l'abdomen velouté de la patiente. L'Arachnos se laissait faire, les yeux mi-clos.

Avec beaucoup de difficultés, la jeune fille plaça les deux attelles en bambou et s'essuya le front une fois le travail terminé.

—Le plus dur est fait. Maintenant, il faudrait lui proposer des échantillons de nourriture. Elle est épuisée et doit reprendre ses forces.

—Je m'en charge ! jeta Souris avec une énergie sans faille.

Le garçon apporta divers fruits, des patates douces cuites de la veille et des noix de coco, et entreprit de les introduire dans la cage.

D'abord complètement inerte, l'Arachnos s'anima peu à peu. Elle saisissait avec une dextérité fascinante ce qui se trouvait à sa portée et le portait à sa bouche à l'aide de la paire de pédipalpes en forme de pinces qui lui servait d'organe de préhension.

À nouveau, Souris eut une réaction de recul. Tant que la créature était immobile, elle paraissait acceptable. Une fois qu'elle commençait à agiter ses pattes et ses chélicères, elle devenait franchement cauchemardesque. Ses pinces étaient assez puissantes pour entamer l'écorce des noix d'une simple pression.

—J'espère qu'on n'est pas en train de faire une bêtise, dit-il en reculant de quelques pas. Est-ce qu'elles ne sont pas capables de cracher leur venin à distance ?

Tiggy secoua la tête, le front plissé.

—Autant que je me souvienne, c'est un élément de leur cuirasse de combattante qui leur permet de projeter du poison. La filière qu'elles portent dans l'abdomen peut également être dangereuse, mais seulement chez les adultes les plus développés. Celle-ci doit avoir à peu près notre âge : deux ans…

Comme Souris marquait son étonnement, elle précisa :

— Leur métabolisme est accéléré par rapport au nôtre, un peu comme celui des chiens. Leur espérance de vie n'excède pas vingt-cinq ans, et elles sont adultes autour de trois ans.

— Tu t'y connais drôlement, s'extasia le garçon.

— En temps de guerre, on connaît peut-être mieux ses ennemis que ses amis, soupira Tiggy, mais on ne sait pratiquement rien de leur fonctionnement social. Nous sommes trop différents…

— C'est un peu comme une fourmilière, non ? suggéra Souris, qui s'était à nouveau rapproché de la cage.

— Non, pas vraiment. Les Arachnos n'ont pas de reine. En revanche, les mères jouent un rôle prépondérant. Ce sont elles qui commandent les vaisseaux et qui dirigent les soldats. Les mâles sont plus indisciplinés et plus faibles, on les voit rarement diriger les autres. Ce sont des exécutants.

— Le contraire de chez nous, alors ?

— Ah, tu trouves que je suis plus faible et indisciplinée que les garçons ? le taquina Tiggy avec un sourire en coin.

— Pas vraiment, bredouilla Souris, les joues en feu, pas vraiment…

onvaincre le reste du camp de l'opportunité de soigner une Arachnos ne fut pas une mince affaire. D'âpres discussions tournant parfois à la dispute se succédèrent autour du feu de camp. Dès le départ, les Canaris refusèrent catégoriquement de dormir dans la grotte où se tenait leur pire cauchemar, même solidement retenu prisonnier. On trouva un compromis en doublant la cage et en la plaçant à l'extérieur de la grotte principale, dans une anfractuosité qui protégerait malgré tout l'Arachnos des rigueurs du climat.

La créature ne montrait pas le moindre signe d'agressivité. Elle se laissait manipuler, les yeux clos, les membres inertes. Lorsque Tiggy nettoyait la cage, elle se faisait toute petite, se déplaçant d'elle-même pour faciliter le ménage. On aurait dit qu'elle avait compris ce qui effrayait les humains. Elle évitait de montrer ses chélicères, cachait les pinces de ses pédipalpes lorsqu'elle mangeait et n'effectuait aucun mouvement brusque. Le plus souvent, elle offrait au regard son abdomen soyeux, que Souris ne manquait jamais de grattouiller avec un doigt qui allait en s'enhardissant au fil des jours.

Les attelles posées par Tiggy étaient une bonne solution. Les pattes brisées semblaient se remettre avec une rapidité étonnante. En même temps que l'Arachnos guérissait, son appétit augmentait. Sa nourriture favorite était constituée de fruits à l'écorce dure qu'elle faisait craquer avec son casse-noix naturel. La seule fois où on lui proposa le cadavre d'une moucherasoir, elle eut une réaction violente et secoua sa cage en tous sens. On en conclut que ce genre de protéines lui faisait horreur.

Souris était le plus assidu à rendre visite à la prisonnière. Il lui confiait parfois son astrolabe. L'araignée géante ne manquait jamais de le manipuler pour indiquer des étoiles, mais elle s'arrêtait le plus souvent au système Gémini où ils se trouvaient, et semblait vouloir lui faire comprendre quelque chose.

Toupie, fidèle à sa promesse, avait fait l'excursion jusqu'aux alentours du camp de Moelo. Il avait rencontré Pelote et ils avaient parlé longuement, à l'ombre d'un palmier. Tous deux avaient besoin de communiquer. La fillette s'inquiétait de son statut d'esclave dans la société imaginée par Moelo, Toupie évoqua avec inquiétude l'Arachnos. Ils se sentaient presque prêts à former un troisième camp à eux tout seuls, loin des contraintes imposées par les autres.

—On vivrait dans les arbres, imaginait Toupie. Il y aurait des filets partout avec des grenades-pièges qui nous protégeraient. Les jours de mauvais temps, on se réfugierait dans les grottes de la falaise. Elles sont nombreuses…

Pelote écoutait ces contes de fées, les yeux brillants. Ils se quittèrent très bons amis en s'embrassant sur les joues, et Toupie offrit à la fille un collier de pierres transparentes qu'il avait dénichées dans le lit du ruisseau à sec. Ils promirent de se revoir à date fixe et, pourquoi pas, de prendre la grande décision ensemble si la situation devenait intenable dans un camp ou dans l'autre.

La canicule ne faiblissait pas. Les enfants avaient pris l'habitude de se réfugier dans les souterrains durant la journée et de somnoler en attendant la relative fraîcheur de la soirée. L'eau devenait de plus en plus rare. Ils firent une réserve en remplissant un puits naturel, au fond de la grotte principale. La corvée prit plusieurs journées et, plus d'une fois, les petits s'en dispensèrent en utilisant leurs réserves de galettes.

Les jours se succédaient d'autant plus lentement qu'ils se ressemblaient. Parfois, les naufragés scrutaient le ciel vide dans l'espoir d'apercevoir le fuselage argenté d'une navette.

—Tu crois qu'on est là pour toujours ? dit un jour Élie, la gorge serrée, en s'adressant à Tiggy, étendue au frais sur sa paillasse, au fond de la caverne.

Les rudes exercices de survie avaient forci le jeune homme. Ses mains étaient calleuses et quelques poils naissants poussaient sur ses joues halées. Tiggy lui rendit son regard. Ces derniers temps, elle manquait d'énergie et restait de longues heures couchée à fixer le plafond de leur abri.

—Pourquoi me poses-tu cette question ? fit-elle d'un ton las.

—Parce que, à la longue, on ne va plus être des enfants, articula Élie avec peine.

—Oui, ces choses-là se passent toutes seules. Les filles vont devenir des femmes et les garçons des hommes…

—Tu te moques de moi ?

—Non, Élie. J'y pense souvent… Sache simplement que je resterai avec toi.

Élie lui serra la main avec gratitude, puis s'éloigna, le dos courbé.

Les choses en restèrent là jusqu'à la fameuse nuit où l'Arachnos prit une initiative. C'était une aube comme les autres. Élie s'était levé, alors qu'il faisait encore sombre, pour rallumer le feu et chauffer le breuvage ressemblant à du cacao que la communauté avalait le matin en guise de petit déjeuner. C'était un moment agréable, où l'on avait encore l'impression de pouvoir respirer avant la fournaise.

Alors qu'il débouchait à l'air libre, Élie eut un hoquet de surprise. Bien en évidence, à l'entrée de la grotte, la cage de l'Arachnos gisait sur le sol, proprement déchiquetée et vide de son occupante.

Sans réfléchir une seconde de plus, il donna l'alerte. Depuis les attaques des mouches-rasoirs, les enfants savaient par expérience que leurs vies dépendaient d'abord de leur vitesse de réaction. En moins d'une minute, la totalité de la troupe fut sur le pied de guerre aux côtés d'Élie. Chaque main était armée, et Toupie avait détaché les sangles qui retenaient le grand filet placé à l'entrée de leur repaire, prêt à laisser tomber ce rideau protecteur au moindre signe d'attaque.

—Elle s'est échappée, murmura Tiggy, incrédule.

—Je vous avais bien dit qu'il ne fallait pas faire confiance à cette vermine, jeta Toupie d'un ton amer.

Souris nuança ce jugement.

—Si elle l'avait voulu, elle aurait pu nous surprendre dans notre sommeil. Elle ne l'a pas fait…

La justesse de cette remarque les troubla.

—Mais alors, pourquoi… commença Élie.

Il sortit à l'air libre en jetant un regard circulaire, sa lance pointée.

—Ne cherchez plus. Elle est toujours là… dit-il en avalant sa salive.

En effet, l'Arachnos était bien sagement logée dans son anfractuosité, et elle semblait même dormir dans la position repliée qui était devenue familière à tous ceux qui l'approchaient.

—Elle a tissé un piège, s'alarma un des Canaris en désignant un réseau de fils à peine visibles qui cernaient la cachette de la créature.

—Non, je crois que ces fils ont une autre fonction,

dit Tiggy en avançant un pied sur le bord de la toile.

Elle ne se trompait pas. Réveillée par un infime signal d'alarme, l'Arachnos ouvrit les yeux, se dressa sur ses pattes et fixa calmement la petite colonie humaine qui lui faisait face. L'équilibre était fragile, et la moindre alerte pouvait déclencher les hostilités. Ce fut l'Arachnos qui bougea la première, elle exécuta sur place une danse compliquée où s'emmêlaient les jets soyeux qui sortaient de sa filière. Les enfants la regardaient faire, fascinés.

— Mince alors, elle nous a écrit quelque chose avec ses fils, s'écria Souris.

Élie se gratta le menton avec perplexité :

— En effet, je lis le symbole de l'infini, ou plutôt un « 8 » couché…

— C'est son nom, exulta Souris. Réfléchissez : elle a huit pattes et nous n'en avons que quatre. C'est ce qui nous différencie. Ou alors c'est son nom sifflé : quelque chose comme « Wiiiiit »… Elle fait souvent ce genre de bruit, pas vrai… Wiit ?

L'Arachnos ne siffla pas en retour, mais parut se satisfaire de ce premier contact. Elle se recoucha et ferma paisiblement les yeux.

17

Déclaration de guerre

oelo arpentait la digue en compagnie de Janis et de Bardinn. Les travaux de consolidation de la mince bande de sable qui reliait le vaisseau à la terre ferme se révélaient bien inutiles à présent. Le niveau des eaux du lagon avait baissé de près d'un mètre, dégageant de larges bandes de vase craquelée d'un aspect peu engageant.

La situation n'était guère brillante. Un semblant de climatisation fonctionnait toujours dans le vaisseau, bien qu'il fût impossible de localiser les unités encore en état de marche, mais c'était tout à fait insuffisant pour chasser l'excédent de chaleur qu'emmagasinait la coque de métal durant la journée.

L'atmosphère à l'intérieur devenait irrespirable, et de plus en plus d'enfants s'installaient dans les cabanes construites sur les superstructures. C'était un risque qui paraissait acceptable en absence de toute précipitation. L'eau également commençait à manquer. La source la plus proche ne délivrait plus qu'un mince filet qui allait en s'amenuisant de jour en jour.

—On devrait pourtant réussir à dessaler l'eau de mer, rageait Moelo. Quand on sait fabriquer des cochêvres, on sait éliminer le sel dans la flotte !

Janis fit une moue. Les manières abruptes du chef l'agaçaient de plus en plus ouvertement.

—C'est trapu ! Le vaisseau est une usine du vivant et non une machine à tout faire. C'est comme si tu demandais à ton pistolet laser de faire de la musique.

Moelo lui lança un œil critique.

—Au lieu de faire de l'esprit, tu ferais mieux de travailler davantage à la salle de commande.

—C'est un four, là-dedans !

—Qui m'a fichu des lopettes pareilles ! explosa le capitaine. Si tu t'étais donné la peine de localiser les unités de climatisation, on n'en serait pas là.

Janis gardait son flegme, ce qui avait le don d'énerver son interlocuteur.

—Je laisse ma place à qui la veut, fit le garçon brun en haussant les épaules. Je préférerais chasser le cochon dans la forêt, comme vous, en poussant des cris de guerre…

—Oui, parlons-en, gronda Bardinn. Les cochêvres se déplacent maintenant par bandes. Ils mangent tous les fruits qui se trouvent à leur portée et se sentent suffisamment en force pour faire front quand on les approche.

—Qu'est-ce que tu veux que j'y fasse ? siffla Janis. Vous vouliez de la viande fraîche à n'importe quel prix, la touche « Métaformer » vous en a donné à profusion. Si vos lances ne suffisent pas, on utilisera l'arme du chef, c'est imparable jusqu'à nouvel ordre…

—On en reparlera, trancha Moelo, qui n'aimait pas imaginer son bâton de commandement entre les mains de n'importe qui.

—Vous me demandez l'impossible, les gars, reprit Janis d'un ton plus conciliateur. Cette machinerie, c'est pire qu'un problème de physique quantique. Je ne sais pas où et quand elle fonctionne, ni comment elle recombine les molécules qu'elle trouve dans son environnement. Je suis à peu près certain que c'est elle qui a fabriqué les mouches-rasoirs, mais ces petites saloperies n'apparaissent que lors d'une tempête, comme si elles se nourrissaient d'électricité, ne me demandez surtout pas pourquoi… Nous avons enfoncé en tout et pour tout quatre fois la touche « Métaformer » et, comme vous le savez, Goon ne veut plus entendre parler des diableries de la console.

—Il a trop chaud, lui aussi ? ironisa Bardinn.

Janis se mordit les lèvres.

—Ouais, trop chaud… Ça s'appelle la frousse, si tu préfères… Il connaît un peu mieux ces choses-là que nous. La première fois qu'il a vu un cochêvre, il a gerbé !

—C'est vrai, il a changé, Goon, murmura le capitaine en songeant au brillant distributeur de palet qu'était son coéquipier autrefois. Il passe des heures sur la plage à contempler le lagon d'un œil vide et il ne parle plus à personne…

—D'après Goon, les créations de l'usine se reproduisent par clonage. C'est une machine infernale, une fois qu'elle est lancée. Chaque cellule fait des petits, chaque organisme supérieur élabore de nouveaux systèmes, le tout se recombine avec ce que nous lui apportons par notre présence. Un simple fragment de peau ou des rognures d'ongle suffisent pour fournir des millions de souches…

—Qu'ils fassent ça ou d'autres cochonneries pour se reproduire, on s'en fiche, jeta Bardinn avec un rire égrillard.

—Tais-toi ! intima sèchement Moelo. Au pire, quelles pourraient être les conséquences de cette… de ce processus ?

Janis eut une grimace d'ignorance :

—Chais pas… L'enfer sans doute. La vie grouillant partout dans le moindre centimètre carré disponible… Pour empêcher ça, il faudrait fabriquer des concurrents, des prédateurs, des maladies, des catastrophes et que sais-je encore. Bref, il faudrait construire tout un écosystème en équilibre… Or on a appuyé sur la touche « Métaformer » au petit bonheur. Sans parler de cette saleté de navire-usine qui marchait tout seul quand on l'a découvert. Je ne suis pas le bon Dieu… Faut demander tout ça à Goon, qui a réfléchi à la question. Il ne doit pas être très loin, à lézarder sur la plage.

Moelo ruminait sa contrariété, puis réagit soudain. Sur son injonction, ils sortirent tous trois du vaisseau. Le soleil de la mi-journée pesait sur leurs nuques.

L'eau du lagon brillait d'un éclat féroce. L'ancienne ligne de végétation, entièrement desséchée, avait presque disparu sous des coulées de sable qui provenaient d'une haute dune située à l'intérieur des terres.

Ils repérèrent Goon sur la plage, un peu à l'écart, couché sur le ventre, les bras en croix, les jambes à moitié trempées dans l'eau, sans doute pour mieux supporter la chaleur. Une succession de coups de soleil avait transformé la peau de son dos en une sorte de croûte rougeâtre qui faisait peine à voir.

Moelo donna un petit coup de pied au dormeur.

—Goon, secoue-toi, c'est ton capitaine… fit-il d'un ton impatient.

Le garçon ne bougea pas d'un centimètre.

—Il est fou de rester comme ça au soleil, dit Janis.

—Oui, ça finit par taper sur le ciboulot! ricana Bardinn, toujours aussi délicat.

Moelo mit un genou en terre et, sans ménagement, retourna Goon sur le dos.

Le choc fut à la mesure de la surprise. Ce n'était pas Goon qui les regardait, mais son visage dépourvu de toute chair. À la place des yeux et du nez, trois orifices sombres bourrés d'une masse cotonneuse où s'agitait un grouillement de pinces et de pattes.

Ils firent un saut en arrière, poussant en chœur un hurlement de terreur. Les créatures parasites, dérangées dans leur travail, quittèrent frénétiquement le corps évidé. C'était, autant qu'on pouvait en juger, des sortes de crabes munis d'un dard recourbé comme celui d'un scorpion. Ils laissaient derrière eux un sillage de fils soyeux, et se dépêchaient de rejoindre la mer en courant de travers à toute vitesse.

Moelo n'eut pas le courage de se servir de son arme. Si cette multitude se précipitait sur eux, le pistolet laser n'était pas la riposte la plus adaptée. En quelques secondes, ces cauchemars sur pattes disparurent dans l'eau du lagon. Incapable de supporter plus longtemps l'horreur qu'était devenu le visage de Goon, Janis repoussa le corps sur le ventre.

—On a déjà les cochêvres, fit-il d'une voix altérée, et cette horreur, c'est quoi? Des scorprabes? En tout cas, je ne mets plus un pied dans l'eau et je n'enfonce plus la moindre touche…

En général, ils passaient leur soirée sur la plage. C'était agréable et un peu plus frais que les alentours du vaisseau. Mais après ce qui venait de se passer, il n'était plus question de pique-niquer sur la grève. Ils étaient réunis dans l'étouffante salle de commande du vaisseau. Les visages étaient graves ou anxieux. Certains cachaient mal leur panique.

—S'ils ont un dard, ils doivent piquer, dit un garçon avec un frémissement de terreur.

—Ils font des pièges comme les araignées, dit un autre.

—Ils mangent la chair humaine! dit Pelote d'une voix hystérique.

—Cet imbécile de Goon a dû se faire piquer alors

qu'il prenait un bain de soleil, dit Moelo, qui essayait de mettre un peu d'ordre dans l'assemblée. Dorénavant, interdiction formelle de dormir à l'extérieur.

—On dirait presque de petites Arachnos, jugea Bardinn. Il faudra faire très attention en chassant. C'est pire qu'une bande de cochêvres parce qu'on ne les voit pas venir…

Ils se regardaient, catastrophés. Après la pénurie d'eau, c'était la famine qui les menaçait !

—Ce sont des Arachnos miniatures ! cria Pelote. De toute façon, il y en a sur cette planète…

—Calme-toi, Pelote, jeta Moelo rudement, ça ne sert à rien de dire n'importe quoi et de semer la panique comme tu le fais.

—Tu crois peut-être que je raconte des histoires ?

Les yeux du capitaine brillaient de colère.

—Pour dire vrai, oui ! Et maintenant tais-toi et laisse parler les chasseurs.

—Élie et sa bande ont capturé une Arachnos ! insista Pelote.

—Que dis-tu ? questionna le chef dans un silence de mort.

Impressionnée par l'attention générale qui se reportait sur elle, Pelote commença à bafouiller :

—Ils l'ont attrapée dans un trou. Elle… elle était blessée, mais Tiggy a décidé de la soigner. C'est Toupie qui me l'a raconté. Tout le monde n'était pas d'accord pour nourrir l'horrible bête.

—Où as-tu rencontré Toupie ? interrogea Bardinn.

—Sur la plage, mentit Pelote.

—Et t'a-t-il dit où était leur camp ? continua Bardinn, prêt à envoyer une taloche à la fillette pour lui délier la langue.

—Non… non… Je ne sais pas… pleurnicha-t-elle. Il a parlé d'un ruisseau, mais c'est loin d'ici… Au-delà des dunes…

—Vers le levant, donc, conclut Bardinn. On a rencontré Toupie et Souris dans la vallée des cochêvres…

Il y eut un long silence, puis Moelo gronda :

—Nourrir une Arachnos, vous vous rendez compte !

—C'est bien une idée de la grosse Tiggy, renchérit Bardinn, les narines frémissantes. On aurait dû les empêcher de nuire dès le départ. Tout est de leur faute. La mort de Carner et maintenant celle de Goon, dévoré par des monstres que ces traîtres protègent.

Le regard de Moelo parcourut l'assemblée. La peur avait cédé la place à la colère.

—Nous punirons les coupables, annonça-t-il en levant son bâton de commandement, le lance-foudre qui jusqu'à présent avait eu raison de n'importe quel obstacle.

—Oui, à mort ! firent quelques voix.

—À mort l'Arachnos d'abord, rectifia Moelo avec un sourire malin. Les autres peuvent nous êtres utiles comme esclaves. On manque de bras ici…

—Et de servantes potelées aussi, dit Bardinn en mimant des deux mains le volume des seins de Tiggy.

Moelo laissa toute cette boue venir à la surface, puis prit quelques décisions sur le ton du commandement.

— Les chasseurs partiront en patrouille demain. Leur mission : découvrir l'emplacement du camp des bannis et repérer discrètement les pièges dont parlait Toupie. Une fois en possession de ces renseignements, nous attaquerons par surprise. J'ai dit !

Un rugissement d'enthousiasme salua ces décisions belliqueuses.

18

La cinquième saison

La présence de l'Arachnos passait peu à peu dans les mœurs. Elle était si discrète ! Dans la journée, elle dormait dans sa niche, mais ouvrait un œil attentif dès qu'un enfant mettait les pieds sur son réseau de surveillance. À la tombée du jour, elle partait faire sa cueillette. Elle se glissait dans l'ombre avec des allures de chasseresse et revenait, quelques heures plus tard, avec sa provision de noix.

Au début, les Canaris avaient insisté pour faire tomber le filet de protection à l'entrée de la caverne, puis on avait oublié cette précaution illusoire. Même Toupie avait fini par s'habituer à ce nouveau chien de garde, mais il ne supportait pas de la voir déambuler autour de la piscine. Ses pattes, lorsqu'elles raclaient la roche, généraient un cliquetis frénétique qui lui mettait les nerfs en boule.

Souris, en revanche, ne manquait pas une occasion de retrouver sa petite « Wiit », comme il l'appelait. Ils avaient tous deux mis au point un système de communication. L'Arachnos était particulièrement habile à reproduire des motifs géométriques avec sa filière et ses pattes tisseuses. Le gamin lui avait appris un alphabet phonétique rudimentaire qui reproduisait les sons émis par les gorges humaines, et il avait bien vite obtenu que la créature traçât en délicats fils de soie son nom, « Suri », ainsi qu'un petit nombre de mots-clés.

Dès lors, ils échangeaient des informations le plus souvent possible. Tiggy, impressionnée par le savoir-faire du garçon, s'intéressa à son tour à ce mode de communication. Les capteurs auditifs de l'araignée géante étaient avant tout sensibles aux sons aigus. Pour elle, la jeune fille répondait au nom approximatif de « Tihi ».

Les autres, plus réticents, répugnaient à mettre le pied dans la toile, mais ils tenaient tout de même à savoir ce que racontait la tisseuse.

—Demandez vous-même ! jeta un soir Tiggy d'un air excédé.

Ils mangeaient autour du feu devant la piscine vide, avec en toile de fond les dernières touches sanglantes des soleils couchants qui plongeaient dans la mer.

—D'ailleurs, je trouve qu'on n'est pas très polis, fit remarquer Souris qui mâchait consciencieusement une banane chaude. On pourrait l'inviter à partager notre repas.

La proposition fit l'effet d'une douche glacée.

—Elle n'en a peut-être pas envie, hasarda Ariane.

—Il suffit de lui demander, répliqua Tiggy.

Elle sortit d'un pas décidé du cercle de lumière jeté par le feu. Il y eut un échange de regards apeurés. Élie

fit un signe de la main rassurant qui semblait dire
« laissons faire, on verra bien… »

Au bout d'un moment, la jeune fille revint prendre sa
place autour du feu. Elle ne dit mot et utilisa sa brochette
en bois pour piquer une patate douce dans la braise.

— Alors ? demanda Élie.

— Je lui ai transmis *notre* invitation…

Au bout d'un moment de silence, il y eut un petit craquement suivi du cliquetis que détestait tant Toupie.
L'Arachnos apparut dans le rond de lumière et se tassa
bien vite pour faire oublier ses pattes hérissées de
piquants.

— Charmant invité, ne put s'empêcher de murmurer
Toupie en détournant les yeux.

— Si tu crois qu'elle nous trouve agréables comme
compagnie, s'indigna Souris en projetant le reste de sa
banane dans le feu d'un geste brusque. Tu es déjà
comme les adultes, tu ne cherches à comprendre l'autre
que pour mieux le dominer, jamais pour jouer…

L'accusation était suffisamment pertinente et bien
exprimée pour que Toupie se sente vexé.

— Qu'est-ce qu'il y a à comprendre chez ces
tueuses ? glissa-t-il. Souviens-toi simplement de
Mentor. Tu n'étais qu'une petite souris tremblante
entre leurs pattes… Libre à toi de jouer avec elle. Pour
moi, elle t'a hypnotisé, et tu regretteras de lui avoir
fait confiance.

Souris baissa la tête, non pour dominer une montée
de larmes comme d'habitude, mais pour trouver des

arguments. Il observait de biais l'accusée qui s'était pelotonnée à ses côtés. Il reprit la parole en pesant chacun de ses mots.

— Wiit est une enfant comme nous. Ce n'est pas une guerrière.

— Lui as-tu demandé pourquoi elle se trouvait sur ce monde ? demanda Toupie sur un ton moins agressif.

— Bien sûr, répondit Tiggy à la place du garçon, trop ému pour parler. Wiit faisait partie d'une mission d'étude à bord d'un vaisseau-laboratoire d'origine zark, celui qui est actuellement échoué dans le lagon. Quelque chose a mal tourné. Les Arachnos sont comme nous, elles n'ont pas encore compris toutes les subtilités de la technologie de cette ancienne race galactique qui jouait aux démiurges en s'imaginant pouvoir créer la vie où bon leur semblait. Wiit était en compagnie de ses frères et sœurs et de quelques aînés de la même lignée, sous le commandement de sa mère qui dirigeait la mission, quand le synthétiseur de nourriture qui se trouve dans les soutes du navire s'est emballé et a littéralement avalé tout ce qui se trouvait à sa portée. Les Arachnos qui n'ont pas été digérées par cette masse organique en folie ont été tuées par des émanations toxiques. Le cauchemar…

» Elle est la seule rescapée. Sa mère l'a fait sortir en catastrophe du vaisseau avant de verrouiller toutes les portes pour confiner le phénomène. Quelques souches ont dû s'échapper à ce moment-là et produire des vers aquatiques primitifs comme celui qui a blessé Carner, mais rien de comparable aux mouches-rasoirs, cochêvres et autres chimères nées depuis !

—Elle vous a dit tout ça avec ses petits dessins ? s'insurgea Toupie, incrédule.

Il s'interrompit car l'Arachnos venait de se déployer et de faire fonctionner sa filière. Le jet de soie qui sortait de son abdomen était aussitôt manipulé par les pédipalpes et mis en place par les autres pattes, fonctionnant comme un métier à tisser. Avec une rapidité ahurissante, un message s'inscrivit sur la pierre.

—« Tupi — Peur — Mor », déchiffra Souris.

—Qu'est-ce qu'elle dit ? s'inquiéta Toupie.

Tiggy expliqua calmement :

—Elle te demande si tu as perdu des amis ou des parents dans la guerre. Ce qui expliquerait ta méfiance à son égard.

—Elle a dit tout cela, ou tu inventes ?

—Elle peut aller plus vite encore avec des symboles et des dessins, mais là elle s'adresse à toi. Tu ne réponds pas ?

Toupie pâlit.

—Je préfère ne pas en parler. Mon père…

Il se tut, incapable de poursuivre.

—Elle a rajouté un « 8 » couché, s'écria Souris.

—Et alors ? jeta Toupie dans un sanglot réprimé.

—Elle veut dire qu'il faut savoir pardonner, traduisit Tiggy. Elle aussi a perdu des proches, elle aussi nous a détestés ou craints. Mais, lorsque nous sommes venus à son secours alors qu'elle était blessée et à notre merci, elle a compris que nous n'étions pas les monstres incompréhensibles qu'on lui avait toujours décrits…

La recherche de nourriture commençait à poser des problèmes. La forêt ressemblait de plus en plus à un maquis brûlé et n'offrait plus guère de denrées comestibles. Il fallait creuser profondément la terre pour dénicher des racines ou des tubercules. Les derniers fruits formaient des cosses dures et pointues ou des sortes d'éperons torsadés qui s'enfonçaient profondément dans le sol. Nul doute que la végétation de la planète savait à quoi s'attendre et se protégeait du cataclysme à venir. Ses réponses étaient prêtes depuis des millions d'années, mais qu'en était-il des organismes vivants plus complexes ? Ce n'était pas par hasard qu'il n'en existait pas sur ce monde aux saisons si contrastées. Sur SW.AF.25, la mort était programmée de façon cyclique.

L'Arachnos, à peu près tolérée par tout le monde après la soirée de mise au point, participait activement à la recherche de nourriture. Pour Toupie, l'ardoise était effacée, et il acceptait même de partir dans la forêt en compagnie de la huit-pattes.

La créature était particulièrement habile à escalader les troncs d'arbre pour repérer une direction et à creuser le sol à la recherche des noix dont elle raffolait. Par jeu, elle écrivait de temps en temps « Tupi » entre les branches sèches, et l'intéressé haussait les épaules, secrètement flatté, mais un peu gêné.

Lorsqu'elle se déplaçait avec rapidité dans les sous-bois, l'Arachnos devenait moins horrible. On comprenait mieux à quoi lui servaient toutes ses pattes et sa paire de pinces. Mais le moment du casse-croûte était toujours délicat. En compagnie de Toupie, l'araignée se retirait discrètement dans un coin pour faire fonctionner ses chélicères et ses organes de mastication.

La cueillette terminée, l'Arachnos se retirait dans son trou de rocher et conversait avec Souris ou Tiggy. Leur mode de communication s'était même enrichi, les soirs de grande concentration, de quelques sifflements et d'onomatopées qui accéléraient la compréhension mutuelle. Souris en particulier avait compris rapidement qu'il fallait parler à sa nouvelle amie comme à un chat, en utilisant des petits bruits aigus à la limite de l'ultrason. Mais dès que la conversation se compliquait, l'écriture était le seul moyen de communication. Souris utilisait alors un bout de charbon de bois ou un bâton dans le sable, et l'araignée sa filière.

La créature offrait parfois aux humains des tableaux abstraits de forme géométrique qu'elle avait tissés durant la nuit à l'entrée de la grotte. Ces œuvres gratuites s'emperlaient de gouttes de rosée au lever du jour et brillaient de mille feux aux premiers rayons des soleils. Cadeaux…

Tiggy ne manquait jamais de faire son rapport à Élie. Le garçon jouait un rôle en retrait. À force de diplomatie, il s'efforçait de faire accepter l'Arachnos à la communauté, gérait la survie du groupe et s'intéressait au plus haut point aux renseignements que délivrait leur alliée extraterrestre. Tiggy lui était reconnaissante de ses silences et de son efficacité discrète. Élie n'était pas un garçon expansif. Comme dans la mer, il avait peur de se jeter à l'eau. Les conversations avec l'Arachnos le mettaient mal à l'aise, le troublaient comme une complicité contre nature, mais il voulait savoir…

—Wiit a peur, expliquait la jeune fille. Elle a peur de ce que peuvent trafiquer Moelo et sa bande dans le vaisseau-usine. Sa mère n'a pas su dominer une réaction en chaîne de ce qu'elle prenait pour un synthétiseur de nourriture. Il semblerait que les Zarks utilisaient ces vaisseaux pour autre chose que pour garnir le garde-manger…

—Quel genre de processus ?

—L'ensemencement de la vie sur les planètes de leur ancien empire. D'après Souris, on peut même se demander si les Arachnos et les humains ne sont pas indirectement des résultats de leurs expériences. Les Zarks se prenaient pour des dieux, des maîtres absolus de la nature. Ils ont dû finir par déclencher une apocalypse biologique qui les a balayés. À leur façon, Moelo et sa bande sont en train de faire pareil.

—Comment intervenir ? jeta Élie. Moelo détient un argument « laser » qui nous laisse impuissants…

—D'accord sur ce point… Mais l'Arachnos a également peur de la planète…

—Peur d'une planète ! s'étonna Élie.

—Elle évoque la cinquième saison de SW.AF.25.

—Celle que nous subissons en ce moment ?

—En étudiant l'astrolabe de Souris de façon un peu plus approfondie, elle en est arrivée à la conclusion que d'ici à quelques mois cet endroit sera totalement invivable. La conjonction des deux soleils et l'orbite elliptique très particulière de la planète font que tout va griller à sa surface. Plus de place pour nous, à moins que nous ne nous transformions en graines comme les plantes et que nous ne nous enfouissions sous la terre…

— Comment se fait-il qu'on n'ait jamais évoqué ce phénomène dans nos cours d'astronomie sur le système Gémini ? s'enquit Élie, le front soucieux.

— Pour la bonne raison que SW.AF.25 ne nous a jamais intéressés. Afgor est bien assez vaste et complexe pour mobiliser toute notre attention, et la cinquième saison de la planète sur laquelle nous nous trouvons survient par cycles de vingt ans. Pas de chance, on a choisi le plus mauvais moment pour passer nos vacances ici.

— Tu as l'air de prendre ça à la plaisanterie ! s'étonna le garçon.

Tiggy secoua sa crinière rousse dans un geste familier qui manifestait son émotion.

— Tu préférerais que je lève les bras au ciel en hurlant à qui veut l'entendre « Pitié, on va tous rôtir sur place ! » ?

— C'est pourtant ce qui va arriver.

— Il nous reste quelques mois, fit remarquer Tiggy avec fatalisme. Qui sait, on va peut-être finir par venir nous rechercher.

Élie eut un geste de découragement :

— Je ne t'en ai pas parlé plus tôt, mais si les balises

de détresse n'avaient émis ne serait-ce qu'un hoquet au moment du crash de la navette, cela ferait longtemps qu'on nous aurait secourus.

— Je m'en doutais, tu sais. Comptons sur le hasard…

— Je préfère compter sur notre prévoyance, dit le garçon avec cet air raisonnable qui, immanquablement, le vieillissait de quelques années. On pourrait explorer les profondeurs de la grotte. Il y a un ancien siphon qui mène sans doute à des zones inférieures où l'eau coule encore. En faisant des provisions suffisamment abondantes, il serait possible de tenir le temps de cette saison d'enfer…

Ils échangèrent un pauvre sourire qui en disait long. La perspective de quelques mois, voire des années, d'existence cavernicole dans l'obscurité de ces souterrains n'avait rien de réjouissant. Et que trouveraient-ils à la surface à l'issue de cet été brûlant ? Un désert calciné ?

— Qui est au courant ? fit Élie au bout d'un moment.

— Wiit, Souris et nous deux. J'ai demandé à Souris de ne rien dire à personne.

— C'est mieux ainsi, il ne faut pas affoler la population…

Tiggy posa la main sur l'avant-bras du garçon.

— Je ne me suis pas trompée sur ton compte. Tu fais un très bon chef, affirma-t-elle.

Il imita son ton catégorique pour nuancer :

— Seulement avec un second comme toi…

19
Le jugement

L'attaque du camp d'Élie eut lieu en pleine nuit. Le travail préparatoire des espions envoyés par Moelo avait été efficace. Les premiers pièges furent évités par les assaillants, munis de torches et de lassos.

En bon tacticien, Moelo avait imaginé une manœuvre en deux temps. Mais il n'avait pas prévu le rôle de sentinelle de l'Arachnos. Bien avant que les torches de l'attaquant ne fussent visibles, elle avait senti une présence hostile et s'était précipitée pour réveiller les occupants de la grotte.

La patrouille commandée par Bardinn eut la désagréable surprise de se faire cueillir par les grenades végétales de Toupie.

Les cosses lancées par une main invisible pleuvaient autour des assaillants, libérant leur grenaille de semences coupantes. Les boucliers ne protégeaient que le visage, et les projectiles infligeaient de cuisantes blessures aux jambes. Ce fut la retraite dans le désordre le plus complet.

La deuxième vague d'attaque menée par Moelo fut plus chanceuse. Il fallait dire que la présence du pistolet laser entre les mains du capitaine donnait du cœur au ventre aux soldats. Le rayon ouvrait un chemin dans la forêt, abattant les pièges et les filets qui s'opposaient à la progression. Arrivés à la piscine, les guerriers poussèrent des hurlements de triomphe en agitant leurs lances.

Ils portaient des peintures rituelles sur un fond d'argile grisâtre qui leur donnait des allures fantomatiques. Des dépouilles hirsutes de cochêvres complétaient leurs tenues de combat. Dès qu'ils virent que seul Élie, armé d'une massue, défendait l'entrée de la grotte, ils se ruèrent à l'assaut.

L'apparition de l'Arachnos suspendit net leur élan. Wiit n'avait guère la fibre belliqueuse, mais sa seule présence, l'éclat impressionnant de ses yeux et le claquement de ses pinces firent faiblir les plus courageux. Le souvenir du carnage de Mentor était encore présent dans toutes les mémoires.

Moelo, comprenant que la détermination de ses guerriers faiblissait, s'avança, le laser au poing, et visa froidement le monstre qui les tenait en respect.

Élie fit un bond et s'interposa.

—Vous ne toucherez pas un poil de cette créature, rugit-il en faisant tournoyer sa massue.

Son intervention déclencha un concert de huées haineuses.

—Traître ! Lâche…

—Réfléchissez, bande d'imbéciles, fit Élie d'une voix

vibrante. Nous sommes tous prisonniers de cette planète qui va se refermer sur nous comme un piège. En unissant nos forces, toutes nos forces, nous avons peut-être une chance de survivre…

Une onde de doute parcourut les rangs des guerriers.

— On a déjà entendu ce genre de bobards, fit la voix de Bardinn.

Une lance jaillit de l'obscurité et atteignit Élie au creux du ventre. Il s'effondra sans un cri, la main crispée sur le manche du projectile, sous les yeux horrifiés de Tiggy qui venait de le rejoindre.

Cet adversaire mis hors de combat, les guerriers de Bardinn lancèrent des filets. L'Arachnos fut capturée, et un solide coup de massue stoppa net ses réactions de défense en l'étendant raide sur le rocher.

— La victoire est à nous ! exulta Moelo en tenant en joue Toupie et Souris qui surgissaient trop tard de la forêt, des grenades à la main.

Les prisonniers furent enfermés dans une cale vide du vaisseau. Magnanime, Moelo avait voulu épargner aux Canaris cette captivité, mais il eut droit à des répliques cinglantes.

— D'abord tu nous as chassés, et maintenant tu viens nous chercher de force alors qu'on ne te demandait rien, dit Jos en refusant tout traitement de faveur.

— Tu n'es qu'une sale brute, un assassin… confirma Ariane d'une humeur plus sombre encore que sa peau. On veut rester avec nos amis.

—À votre aise, grogna Moelo, les narines frémissantes de contrariété. Restez avec votre araignée en attendant qu'on vous inflige la punition réservée aux renégats.

C'était la première fois qu'il utilisait ce terme, mais c'était également la première fois qu'une alliance semblant impensable s'était tissée entre Arachnos et humains.

Tiggy avait retiré la lance du ventre d'Élie. La blessure était profonde, mais ne semblait pas avoir lésé un organe vital.

—Il perd beaucoup de sang, dit-elle, éperdue. Ces sauvages ne nous ont même pas laissé de quoi confectionner un pansement de fortune.

Ils faisaient tous cercle autour de leur chef, qui réussit tout de même à leur bredouiller des paroles rassurantes.

—Ce… ce n'est pas grave… Je n'ai pas mal…

Un cliquetis de pattes familier les fit sursauter. C'était l'Arachnos qui se remettait tout doucement du coup qui l'avait assommée. La créature, qui semblait très agitée, écrivit rapidement une succession de messages sur les cordes qui la retenaient encore à moitié prisonnière.

Souris traduisait au fur et à mesure.

—Wiit ne comprend pas ce qui se passe… Pourquoi les frères humains se battent-ils entre eux? Cet endroit est mauvais… Sa mère y est morte ainsi que nombre de ses frères et sœurs… Elle ne veut pas que ça continue…

Alors que Souris était encore penché sur les symboles tracés par l'Arachnos, cette dernière s'était approchée d'Élie avec des gestes ralentis. Elle examina le blessé en inclinant la tête, et ses yeux scintillèrent plus que de coutume.

—Je crois qu'elle veut entreprendre quelque chose, murmura Tiggy.

L'araignée s'approcha, examina la plaie en émettant un petit crissement désolé. Puis, avec lenteur, elle enveloppa le garçon entre ses pattes recroquevillées. La vision de ces organes griffus en action arracha un cri à Jos.

—Elle va le mordre! avertit-il.

Tiggy calma le gamin d'un geste tout en observant l'Arachnos, fascinée.

—Non, elle a autre chose en tête. Laissons-la faire…

L'Arachnos approcha doucement ses chélicères de la plaie d'où s'écoulait le sang et y cracha une écume rosâtre, puis elle mordit à trois reprises les chairs contusionnées avant d'utiliser sa filière pour le travail chirurgical qu'avait deviné Tiggy.

—Elle lui fait des points de suture! s'exclama-t-elle.

L'araignée s'agita encore un peu au-dessus du patient, qui se laissait faire avec un pauvre sourire, puis se retira à l'écart une fois son travail achevé.

Tiggy examina la plaie d'Élie. Elle ne saignait plus. Un délicat travail de couture réalisé à partir de fils plus fins qu'un cheveu avait résorbé la plaie béante infligée par la lance. Sur le pourtour de la blessure, la salive de la créature cautérisait les chairs lésées.

—Un médico-bloc de Mentor n'aurait pas mieux fait,

constata-t-elle en lançant un regard humide de reconnaissance à la petite Arachnos.

— « Ili — Ami », écrivit très vite la chirurgienne, qui ne savait trop quelle position adopter au milieu de tous ces humains qui la regardaient avec un mélange d'étonnement et de gratitude.

— « Wiit — Ami ! » traça spontanément Souris en retour sur le sol, avec un bout de pierre qui griffa le métal à toute vitesse.

Le soir venu, Moelo convoqua un tribunal d'exception sur la digue, à l'entrée du vaisseau, la plage n'étant plus sûre. Des torches illuminaient la petite esplanade.

L'atmosphère était oppressante. Les pierres de la jetée, chaudes comme si elles venaient d'être retirées du feu, renvoyaient la chaleur du jour. Les épidermes étaient luisants d'une mauvaise sueur, et des relents nauséabonds montaient par bouffées des vases du lagon. Les prisonniers portaient des cordes au cou et l'Arachnos était enfermée dans une triple cage de bambou suspendue à quelques mètres du sol. Seuls les Canaris, malgré leurs protestations, étaient libres de leurs mouvements tout en figurant parmi les accusés. Encore très affaibli par sa blessure, Élie avait droit à une civière, mais il portait comme les autres une liane qui entravait ses jambes.

Tous les enfants rescapés de la navette étaient présents, mais on mesurait à leurs habits, à leurs maquillages, à leur comportement même, qu'ils formaient désormais deux clans ennemis. Le procès se résuma à une longue liste d'accusations haineuses portées contre l'araignée captive et ses complices. Les mots « guerre, meurtre, ennemie, traîtres » revenaient dans une litanie sans fin. On reparla de Mentor, de la lâche agression des Arachnos ivres de sang humain, de la mort de Carner, de la bataille de la piscine et des dégâts causés par les grenades du paria Toupie.

Ce n'était pas la peine de se défendre. Tiggy, à qui on avait à moitié arraché les vêtements pour mieux l'humilier, levait de temps en temps les yeux au ciel d'un air méprisant, mais s'abstenait de se justifier. Janis, les jumeaux, Bardinn, Moelo, ces guerriers ornés de peintures agressives n'étaient plus de leur bord. En comparaison, une des pattes barbelées de l'Arachnos dépassant de la cage paraissait plus rassurante. Tiggy la regardait de temps en temps en se demandant ce que la créature pouvait bien penser de cet incompréhensible règlement de comptes entre frères de race.

— … En conséquence de quoi, pérorait Moelo à la fin d'une autre diatribe, nous condamnons les traîtres à l'esclavage dans notre colonie : ils seront la propriété des chasseurs qui voudront bien les acquérir, nous confisquons tous leurs biens et nous ne les autorisons plus à émettre un avis quelconque sur la bonne marche de notre société. Les Canaris, étant donné leur jeune âge, subiront une période de probation, et nous déciderons plus tard de leur statut…

Le vocabulaire juridique du capitaine était au point. Sans doute avait-il répété son numéro sur les conseils des jumeaux, dont la mère était juge sur Afgor. Il y eut des murmures excités que Moelo suspendit d'un geste impérial :

—Quant à l'ignoble Arachnos, représentante de l'ennemi abhorré qui a causé tant de dommages à notre civilisation, nous la condamnons à être mise à mort dans un combat singulier qui l'opposera à un de nos champions.

Tiggy sembla sortir de sa torpeur. La corde qui lui enserrait le cou l'étranglait, mais ne l'empêcha pas de s'exprimer :

—Vous appelez cela un procès ? Où sont les avocats ? Cherchez-vous seulement à savoir ce qui se cache derrière la présence de l'Arachnos sur cette planète ? Que signifie cette mascarade de duel où on annonce à l'avance qui sera vaincu ?

Sa sortie fut saluée par des huées. Moelo la contempla avec férocité.

—Tiggy ne trouve pas les choses à son goût, comme d'habitude… Il est temps que notre champion, qui sera son maître à l'issue du combat, lui rabaisse son caquet par une bonne fessée.

Bardinn s'avança de trois pas vers Tiggy, la regardant de haut en bas comme s'il soupesait une marchandise :

—Le champion, c'est moi ! annonça-t-il, goguenard…

Moelo avait fixé l'heure du combat entre l'Arachnos et Bardinn au lendemain soir, à la tombée du jour, lorsque la température devenait plus supportable. Mais par un curieux hasard, l'horizon se chargea dès le matin d'une longue barre noire qui donna à la mer une teinte goudronneuse.

Malgré cet événement climatique, la chasse fut maintenue. Moelo avait prévu de faire ripaille à l'occasion de la cérémonie de mise à mort de l'araignée, et il n'était pas question de renoncer à cette fête. Malheureusement, les chasseurs revinrent rapidement bredouilles, l'un d'entre eux boitant bas.

—Les cochêvres nous ont attaqués ! expliqua un des jumeaux la mine défaite. On aurait dit qu'ils nous attendaient à la lisière de la forêt. Ils ont chargé dès que nous nous sommes approchés. Kort a été bousculé et piétiné… On a pu le tirer de là de justesse…

Moelo ne dit mot, mais fit un signe à Bardinn qui se rangea à ses côtés.

—Bande d'incapables ! laissa-t-il tomber avec mépris.

Il ajouta en sortant le pistolet laser de son étui :

—Nous allons faire le travail à votre place…

La sourde colère qui le rongeait le poussait au carnage. Dès qu'il fut sur la plage et qu'il entendit le piétinement caractéristique des cochêvres dans les broussailles, il balaya les sous-bois de son arme activée à pleine puissance. Il fit une hécatombe et tua en une fois plus de gibier qu'il n'en fallait pour un mois !

En toute hâte, craignant l'irruption d'une autre harde agressive, Bardinn choisit quelques dépouilles fumantes dans ce charnier et les traîna derrière lui en direction de la digue. Le massacre n'avait pas pris plus de cinq minutes. Pourtant, les deux valeureux tueurs retrouvèrent avec un soulagement inavoué la protection du vaisseau. Le ciel sombre installait une fausse nuit sur le paysage. La plage autrefois si riante paraissait semée d'embûches, et les eaux troubles du lagon ressemblaient au contenu d'un sinistre chaudron de sorcière.

Moelo, après mûre réflexion, avait décidé que le combat singulier aurait lieu dans les superstructures du vaisseau. Il existait dans les hauteurs une plate-forme relativement horizontale qui pouvait accueillir une assemblée autour d'un ring octogonal, matérialisé par des câbles en acier tendus sur les huit grosses antennes qui perçaient la coque à cet endroit. Le choix de l'endroit lui paraissait judicieux dans la mesure où on allait pouvoir allumer des feux et des torches comme sur la plage. À la moindre alerte ou si l'orage éclatait, ils pourraient rapidement se réfugier à l'intérieur.

On alla chercher les prisonniers. Ils durent monter jusqu'à la plate-forme sous les huées des vainqueurs. L'installation des spectateurs se fit selon un protocole très strict. Les chasseurs ornés de leurs peintures de guerre et armés de leurs lances s'installèrent à des places désignées selon leur rang dans le clan. On avait disposé, sur les hauteurs, des torches qui dégageaient une âcre odeur de résine.

Le jour déclinait et le ciel, encrassé d'épais nuages sombres, pesait comme un couvercle. Des éclairs lointains illuminaient la mer de lueurs blafardes, mais nul grondement de tonnerre n'indiquait que le mauvais temps allait fondre sur eux.

Bardinn entra en lice. Des plaques de métal cuirassaient son torse massif et il s'était coiffé selon l'usage des chasseurs d'une énorme tête de cochêvre. Il parada un instant devant ses admirateurs, puis se tourna vers les prisonniers qui avaient été parqués sous le trône occupé par Moelo.

—Je la récupère tout de suite, dit-il en saisissant fermement la corde qui s'enroulait autour du cou de Tiggy.

La captive tenta de résister, mais comprit rapidement aux rires et aux quolibets qui fusaient que c'était exactement le genre de spectacle qu'attendait la bande à Moelo : la grosse Tiggy matée par son nouveau maître… Elle se laissa donc faire avec une docilité morne, sans même lancer un coup d'œil à Élie qui assistait à cette humiliation supplémentaire, les poings serrés, les yeux brûlants de rage impuissante.

—La pouliche a l'air déjà dressée, commenta Moelo, déçu. Qu'on fasse donc entrer notre amie à huit pattes. Elle sera sûrement moins obéissante…

Souris détourna les yeux lorsqu'on apporta la cage qui transportait Wiit. On avait pris soin de lui entraver les pattes avec des filins d'acier trouvés dans le vaisseau. Elle fut poussée hors de sa prison à coups de lance. Au premier déplacement qu'elle tenta, elle tomba sur le côté en poussant un petit crachement pitoyable.

Bardinn s'avança. Il portait une massue ferrée de la main droite et de l'autre une torche surmontée d'une sorte de trident aiguisé qui en faisait une seconde arme. Il porta un premier coup par surprise, et la massue s'abattit sur le dos de la créature avec un bruit mat.

L'Arachnos s'aplatit, frémit de tous ses membres et se mit à trembler convulsivement.

—Vas-y, Bardinn, écrase-lui la gueule, hurlèrent les jumeaux à l'unisson.

Le garçon abattit à nouveau sa massue, mais cette fois ne rencontra que le vide. L'esquive de l'araignée avait été si rapide que personne ne comprit comment elle avait évité le coup. Le bruit de ses pattes griffant le métal de la coque fit grincer les dents à plus d'un enfant. Toupie sourit pour lui-même. Il était habitué maintenant à ce cliquetis, et son cœur ne battait pas pour son semblable.

Bardinn agita sa torche en tous sens devant son adversaire. Désorientée, l'Arachnos tituba dans un coin du ring où elle se fit aussitôt repousser par les lances. La massue s'écrasa cette fois sur une de ses pattes, qui prit aussitôt un angle bizarre. L'affaire se présentait mal pour Wiit, surtout qu'elle semblait refuser le combat et que les filins qui l'entravaient gênaient sa mobilité.

—Achève-la… À mort… Écrase la bête…

Les encouragements à Bardinn ne manquaient pas. Seule la petite colonie autour d'Élie restait silencieuse. Le chef déchu se mordait les lèvres jusqu'au sang, Souris pleurait, Toupie fixait le sol avec obstination, et les Canaris se taisaient, le visage figé, la mine atterrée. Tiggy, quant à elle, de l'autre côté du cercle, fermait les yeux, incapable d'assister à cette boucherie.

L'Arachnos s'était réfugiée contre une des antennes qui servaient de poteau au ring. Une mousse rose perlait à sa gueule. Elle se laissa soudain glisser sur le dos, agitant ses pattes encore valides de façon implorante.

Bardinn poussa un cri de victoire et se prépara à donner l'estocade finale avec sa torche-trident utilisée comme une épée. Sous son casque, son visage rougeaud, luisant de sueur, exultait à l'idée de l'apothéose. Mais il se passa tout à fait autre chose. Alors que le chasseur croyait assener son coup de grâce, les pattes de l'Arachnos se détendirent de façon foudroyante, déséquilibrant Bardinn dans son élan. Le garçon bascula en avant de tout son poids, mais ne toucha pas le sol ; fonctionnant comme de puissants ressorts, les membres de l'araignée s'étaient détendus.

Avec stupéfaction, les spectateurs virent le corps de Bardinn s'envoler avec une apparente légèreté par-dessus les cordes du ring et disparaître avec fracas dans les toits des cabanes qui parsemaient les super-structures du vaisseau en contrebas. Pendant une seconde, tout le monde resta muet et sans réaction, puis on se précipita, les torches à la main, pour repérer le combattant éjecté du ring.

—Il est tombé par là… Non par là… Regardez le trou dans les palmes… Il est dans la vase, en bas…

Quelques bras projetèrent des torches dans le vide. Ce que révélèrent les feux qui éclairaient la boue jeta l'effroi. Les abords du vaisseau grouillaient de crabes-chimères. C'était comme un tapis uniforme, s'étalant aussi loin que pouvait porter le regard. Certains d'entre eux étaient presque aussi gros qu'une Arachnos adulte et portaient, sur la cuirasse chitineuse de leur dos, une nuée de modèles plus petits mais tout aussi virulents.

Dans ce grouillement d'enfer, il y avait une zone plus dense où les pinces claquaient avec férocité. Le gros Bardinn partait en morceaux sanglants, et on voyait déjà apparaître ses côtes dépouillées de toute chair.

Tendu comme un arc, Moelo prit aussitôt la situation en main.

—Pas de panique ! gronda-t-il d'une voix assez forte pour être entendu de tous. Nous allons regagner l'intérieur du vaisseau. Je vais vous ouvrir le chemin avec mon pistolet laser…

—L'Arachnos ! Elle a disparu… constata une voix apeurée.

En effet, le ring était vide, et rien aux alentours ne trahissait la présence furtive de la créature.

—Elle ne doit pas être très loin, dit Moelo en sautant au bas de son trône, l'arme à la main. Et cette fois, je ne lui laisserai pas une chance… Kort, occupe-toi des prisonniers. Il ne manquerait plus qu'ils nous échappent, eux aussi, pour rejoindre l'ennemi. Pendant ce temps, je vais régler son compte à cette vermine…

— La vermine, c'est toi, Moelo ! cracha Tiggy.

Cette insolence lui valut une gifle retentissante qui l'envoya les quatre fers en l'air.

21

Dans les entrailles du vaisseau

Les recherches n'avaient rien donné. L'Arachnos semblait s'être évaporée.

— Elle a ouvert une trappe dans une des antennes du ring, affirma Pelote.

On vérifia ce témoignage ahurissant en sondant les huit poteaux, mais les coups, qui réveillaient des échos sonores confus dans la coque du navire, ne leur apprirent rien sur la composition interne de ces instruments.

— L'Arachnos a peut-être rejoint ses copines les scor... prabes, dit en hésitant un petit, les yeux écarquillés.

— Ça m'étonnerait, dit Janis, toujours aussi détaché. Elle est comme nous, l'Arachnos. Elle cherche un abri. Ce qui a dévoré Bardinn boulotterait l'araignée intelligente de la même façon. Pour moi, elle est à l'intérieur du vaisseau. Elle le connaît mieux que nous...

Rejoindre le sas d'entrée fut tout un problème. Les créatures du lagon avaient investi les zones inférieures du vaisseau. Elles réussissaient à s'agripper à la moindre aspérité. Leurs pinces cognaient contre le métal, et elles agitaient leurs dards avec un bruit de crécelle. Visiblement, elles avaient apprécié le hors-d'œuvre et cherchaient à compléter le festin.

Moelo utilisait son pistolet comme un lance-flammes pour nettoyer les parages du sas. Les insectes carbonisés dégageaient une odeur acide qui prenait à la gorge. Il fallut traverser un entrelacs de toiles gluantes que les crabes-chimères avaient déjà tissé autour de l'ouverture de l'unique porte d'entrée.

Dès qu'ils furent à l'intérieur, Moelo parcourut du regard la petite troupe piteuse qui l'entourait. Il banda ses muscles et distribua des ordres :

—Les prisonniers, dans leur cellule, avec juste une ration d'eau… y compris Tiggy, en attendant de désigner son nouveau maître. Pas de traitement de faveur pour les Canaris. Ils ont montré clairement dans quel camp ils se rangeaient. Kort et Vort, avec moi, nous allons fouiller chaque recoin de ce navire et enfumer les conduits d'aération pour débusquer cette saloperie d'araignée…

Janis et Pelote étaient chargés de reconduire les captifs entravés dans leurs quartiers. Les deux geôliers paraissaient mal à l'aise dans leur rôle. Élie prit une initiative.

—Détache-nous, dit-il calmement en fixant Janis droit dans les yeux. Ne me dis pas que tu es d'accord avec cette guerre stupide.

—Vous… vous vous êtes alliés à une Arachnos, bredouilla Janis, moins flegmatique que d'habitude.

—Et vous, vous êtes les complices d'un chef de meute stupide et barbare, jugea Tiggy fermement.

Elle portait sur son visage les traces de la formidable gifle que lui avait donnée Moelo.

—Tiggy a raison, murmura Pelote en prenant le parti de cette dernière. La bande à Moelo joue les machos, mais ils ne réfléchissent pas beaucoup. Au moins, on est débarrassés de Bardinn…

—Dans ton intérêt, détache-nous, insista Tiggy.

—Je vous vois venir avec vos belles paroles, se défendit Janis en brandissant sa lance de façon menaçante. Jamais je ne me rangerai du côté des renégats…

Il utilisait le terme employé par Moelo, et son arme était pointée avec une détermination farouche droit sur Élie.

—C'est ça, laissa tomber celui-ci d'un ton amer, achève le travail, plante ton ridicule coupe-chou dans mon ventre et tu te sentiras plus humain après…

Janis n'avait pas surveillé ses arrières. Toupie, libéré par Pelote, venait de le ceinturer avec une énergie farouche. Élie saisit sa chance et, de sa jambe libre, envoya un coup de pied violent dans le bas-ventre de son geôlier, qui se plia en deux avec un gémissement. Une mêlée confuse s'ensuivit, mais seul contre sept révoltés, même gênés dans leurs mouvements, Janis n'avait évidemment aucune chance.

Il fut désarmé. Élie se saisit de la lance et la pointa sur la gorge du garçon, qui se figea.

—Ça fait un drôle d'effet d'être du mauvais côté du manche, hein ? jeta-t-il en appuyant suffisamment pour entamer légèrement le cou offert.

—Arrête ! hurla Janis, épouvanté par la douleur.

—Ficelez-moi cet imbécile, dit Élie sans relâcher sa pression.

Ce fut fait en un tournemain.

—Et maintenant ? demanda Tiggy, pour une fois à court de conseils.

Élie se tourna et se pencha sur Pelote, qui le regardait avec crainte.

—Merci, Pelote, pour ton aide…

—Je l'ai fait pour Toupie, avoua-t-elle. C'est ma faute si Moelo a attaqué votre camp. J'ai été trop bavarde…

—Peu importe, tu t'es rachetée… l'excusa Élie. Mais réponds-moi franchement : est-ce vrai que tu as vu l'Arachnos disparaître dans une des antennes du ring ou tu as inventé cette fable pour te rendre intéressante ?

—Je l'ai vue… Je te jure… Le poteau était creux et il y avait une petite ouverture… L'araignée s'est glissée dedans… lâcha Pelote avec véhémence.

—Je te crois, la rassura Élie en se redressant.

Il grimaça sous l'effort et porta une main à sa blessure.

—La situation est simple, dit-il en dominant sa douleur. Nous devons rejoindre Wiit là où elle se trouve actuellement et quitter ce vaisseau rempli d'ennemis.

—Et Janis, qu'est-ce qu'on en fait? demanda Toupie en serrant davantage les liens qui entravaient les poignets de son prisonnier.

—Il mériterait qu'on l'abandonne à la colère de son capitaine, dit Élie avec une moue. Mais on sera généreux, on l'emmène avec nous…

Le calcul était simple. Seules les gaines d'aération et les espaces étroits situés entre la double coque leur assuraient une cachette provisoire contre les troupes de Moelo. Ils entreprirent donc de pénétrer dans ce monde de boyaux étroits, encombrés de clapets de sécurité et d'unités de climatisation, après avoir descellé une grille se trouvant au niveau du sol et l'avoir remise soigneusement en place – pour éviter de donner un indice à leurs poursuivants.

Ils rampèrent ainsi, en file indienne, sur une bonne centaine de mètres, franchissant avec difficulté les coudes et les obstacles multiples qui s'opposaient à leur progression. De place en place, une veilleuse éclairait les boyaux d'une maigre lumière. Toupie ouvrait la marche en compagnie de Souris. Les deux garçons n'avaient pas leur pareil pour forcer tous les verrouillages. La gymnastique était pénible, et la température étouffante qui régnait dans ces conduits ne facilitait pas les choses. Pour compliquer le tout, certaines zones étaient chargées d'une odeur de caoutchouc brûlé, sans doute due au travail des chasseurs qui tentaient de débusquer l'Arachnos en enfumant sa tanière.

À force de détours infinis, ils finirent par atteindre la double coque. C'était un espace d'un mètre environ qui séparait le blindage antiméteorites extérieur de la coque principale du vaisseau. Des échelons, des coursives et des plates-formes permettant au personnel de maintenance de circuler dans cette zone rendaient la marche moins harassante.

Souris hasarda un sifflement qu'il adressait à tout hasard à Wiit, qui devait se dissimuler dans ces souterrains, mais Élie lui imposa impérieusement le silence. Nul doute que les chasseurs guettaient le moindre bruit pour situer leur proie. Ce n'était pas le moment d'attirer leur attention.

Ils étaient parvenus dans un boyau tout en longueur. Des toiles s'effilochaient dans les hauteurs.

—Les Arachnos devaient préférer cet endroit aux grandes salles situées près du poste de commande, murmura Tiggy en examinant les lieux. C'est normal, l'endroit est plus adapté à leur taille.

—Alors, Wiit ne doit pas être très loin, jugea Souris avec un regain d'espoir.

—Je crois surtout qu'elle veut passer inaperçue, tempéra Élie. Elle ne peut pas savoir que nous nous sommes échappés comme elle.

—Un volet de hublot ! s'exclama Tiggy en désignant un lourd battant blindé assorti d'une commande manuelle.

Toupie s'empressa de manipuler l'ouverture. Le volet intérieur se releva avec lenteur, dévoilant peu à peu le spectacle qu'offrait l'extérieur. Ils enregistrèrent tout d'abord, entre deux battements de paupières, des flashs successifs d'une intense luminosité qui les éblouirent.

—C'est un orage électrique ! s'exclama Élie en mettant sa main en visière. Regardez les cimes des arbres sur le rivage.

Ils purent tous constater qu'aucune branche ne bougeait dans le décor végétal qui se projetait en ombre chinoise sur la voûte céleste, traversée d'une telle quantité d'éclairs qu'on avait peine à croire qu'il faisait nuit à l'extérieur. Pas un souffle de vent, pas une goutte de pluie, mais un kaléidoscope de lumières aveuglantes.

Cette vision impressionnante se brouilla soudain. Attirées par la faible lueur qui émanait du hublot dévoilé, des créatures baveuses venaient de se glisser dans leur champ de vision. C'étaient des sortes de limaces phosphorescentes qui laissaient un sillage fumant derrière elles.

—C'est ce genre de larves primitives qui a dû blesser Carner. Mais là, elles sont des dizaines, et leurs sécrétions attaquent le verre ! dit Tiggy, effarée. Refermez vite le volet. La lumière les fait venir.

Ils se regardèrent, atterrés.

—Nous sommes assiégés par les chimères, gémit Souris. Des légions de scorprabes, des hardes de cochêvres, des vers corrosifs et, sans doute, les mouches-rasoirs qui ne vont pas tarder à rappliquer à cause de l'orage. On est foutus.

C'est alors qu'ils entendirent un sifflement familier.

L'Arachnos avait retrouvé la trace de la petite troupe d'Élie dans le labyrinthe des gaines et des sas de visite de la double coque. Elle paraissait dans un état d'agitation extrême, trop énervée même pour pouvoir correctement communiquer avec Souris.

—Elle a fait quelque chose dans le poste de commande, expliqua ce dernier, mais je n'arrive pas à comprendre quoi.

Jamais ils ne l'avaient vue aussi frénétique, à la limite de l'affolement. Ses yeux phosphorescents fouillaient inlassablement la pénombre. Malgré les blessures infligées par Bardinn, elle escaladait les parois à toute vitesse pour sonder les moindres ouvertures avec ses pédipalpes frémissants.

—Elle cherche une issue pour sortir de ce piège, supposa Élie. Elle a dû trafiquer quelque chose dans le vaisseau.

—Il est temps que nous sortions d'ici, murmura Tiggy. Les petits sont exténués, et l'air devient irrespirable.

La petite troupe se remit en marche avec Wiit comme éclaireuse, qui faisait des allers-retours incessants. Soudain, l'Arachnos bondit directement sous le nez d'Élie. Celui-ci eut un petit geste instinctif de protection lorsqu'il vit les chélicères humides de la créature et ses yeux scintillants tout contre son visage. Il avait beau savoir que c'était une amie, il lui trouvait tout de même une drôle de bouille !

—Elle a trouvé une issue, s'exclama Souris, qui

avait interprété les émissions sonores de la créature. Mais elle a très peur…

Ils se retrouvèrent devant un renfoncement circulaire qui ressemblait à une porte blindée.

Élie resta perplexe devant cet obstacle.

—Sur nos vaisseaux, ce genre de sas externe peut être libéré en urgence par une charge explosive, fit-il en passant en vain sa main tout autour de la porte pour repérer une saillie quelconque.

L'Arachnos, toujours aussi nerveuse, avait pourtant réussi à tracer quelques symboles approximatifs avec sa filière tout en désignant d'une de ses pattes antérieures le centre de la porte.

—« Zark — Mor », lut Souris, la gorge sèche. Elle veut nous prévenir d'un danger.

Élie s'approcha du sas et remarqua une légère dépression à l'endroit qu'avait pointé l'araignée. L'Arachnos recula d'une bonne dizaine de mètres dans le couloir en sifflant craintivement.

—D'accord, Wiit, j'ai compris, grommela le garçon. Alerte maximale, mais nous n'avons guère le choix. Je vous demande de vous coucher sur le sol, les bras sur la tête… C'est peut-être la charge explosive que je cherchais.

Sans hésiter, animé d'une volonté de survie farouche pour lui et ses compagnons, il enfonça son doigt au centre de la porte. Aussitôt, il y eut un flash lumineux qui lui arracha un cri de saisissement. Un écran se matérialisait sous ses yeux.

Un instant brouillé par des parasites magnétiques, le phénomène se stabilisa sur une image qui les laissa tous muets de stupeur. C'était celle d'un humanoïde de grande taille vêtu d'une combinaison irisée qui épousait son corps puissant à la manière d'une seconde peau écailleuse. Le nez et la bouche mince s'entrouvrant sur des dents effilées étaient presque humains. Le haut du visage se révélait plus étrange : son crâne comportait deux lobes sphériques parsemés d'un fin duvet blanc, et son front bombé s'ornait d'un organe de vision oblong couvert d'une paupière unique.

—C'est un Zark ! réussit à articuler Élie.

Aucun humain n'avait pu contempler un tel phénomène, mais Élie se serait bien passé de cette première. En effet, la paupière de la créature s'entrouvrait avec une effrayante lenteur.

—Méfie-toi, souffla Souris, qui se souvenait de ses jeux virtuels, c'est une « serrure sphinx ». Elle va te soumettre à une épreuve, et si tu échoues…

—Trop tard, fit Élie avec fatalisme.

La paupière était entièrement relevée, démasquant deux yeux flottant dans un même globe oculaire et qui transperçaient le jeune homme sans pitié. Ce regard venu du fond des âges, Élie ne devait plus jamais l'oublier par la suite. L'œil droit du Zark, humide de curiosité et de compréhension, semblait dire : « Qui es-tu ? » L'œil gauche, en revanche, disséquait froidement ce qu'il captait et menaçait : « Je ne te connais pas… » Le mélange des deux regards réunis donnait la chair de poule.

Élie, paralysé par l'émotion, contemplait ces deux iris qui, progressivement, se rejoignaient pour ne plus former qu'une fente laiteuse au milieu de l'organe de perception.

—Attention, il te sonde ! cria Souris qui avait rejoint l'Arachnos terrifiée au fond du couloir.

Une question s'insinua directement dans le cerveau d'Élie. Ce fut comme une présence froide et triste, qui ouvrait à sa guise des petites portes dans sa mémoire et fouillait les moindres recoins, jetant ce qui ne l'intéressait pas. Le garçon crut défaillir de terreur tant ce viol mental était insoutenable. La perquisition cessa progressivement, comme une vague se retirant sur la plage. L'écran disparut et la porte elle-même se dématérialisa, ouvrant le passage.

—Il t'a identifié positivement, s'étrangla Tiggy. Passons avant qu'il ne change d'avis…

Ils franchirent le sas et se retrouvèrent sans transition dans un univers étrange. Les murs étaient tapissés d'une mousse épaisse où brillaient des gouttelettes huileuses. Une luminescence bleuâtre émanait du plafond comme s'ils se trouvaient dans de grands fonds marins.

—Oh ! que je n'aime pas ça ! gémit Toupie en crispant les poings.

Un infect bruit de déglutition sourdait de toute part. Ils avaient l'impression d'être prisonniers de l'estomac d'un monstre immonde qui s'apprêtait à les digérer.

—Moi, je ne vais pas plus loin, affirma Jos, têtu et pâle comme un linge.

—Nous sommes dans les soutes inférieures du vaisseau, peut-être même dans le synthétiseur de nourriture, intervint Élie, les dents serrées. Il faut avancer. Il doit forcément y avoir une ouverture menant à l'extérieur.

—Là! dit Souris en pointant un doigt. Derrière ces choses baveuses...

Il désignait une portion de paroi recouverte d'une indéfinissable couche de champignons aux teintes vénéneuses. Avec sa lance, Élie commença à nettoyer la zone.

Il eut un hoquet de dégoût. Surgissant des champignons, des larves roses s'agitaient sous ses yeux.

À bien observer, ce n'étaient pas des larves mais des petites mains de bébés humains agitant frénétiquement leurs doigts potelés. Ces derniers proliféraient au-delà de toute mesure, mélangés à des organes moins innocents comme des pinces de crabes, des chélicères et des tentacules d'hydres végétales, le tout enrobé d'une bave qui dégoulinait jusqu'au sol.

Élie aperçut enfin une goupille qui dépassait de toute cette infection. Il avança la main dans la bouillie organique et tira sans hésiter.

—Aux abris, ça va exploser! hurla-t-il à pleins poumons.

22

Le pardon

ous l'effet de la déflagration, l'écoutille avait volé au loin, dégageant un trou par lequel de l'air frais pénétra dans les soutes. Élie pencha sa tête par l'ouverture. Ils se trouvaient à trois mètres au-dessus d'un banc de vase. Le jour s'était levé. Un jour sinistre sur fond de nuées d'encre parcourues d'éclairs incessants. Dans ce déchaînement silencieux, sans bourrasque ni tornade, la foudre avait allumé des incendies dans la forêt. Mais ces feux non attisés ne se propageaient que lentement, envoyant leurs panaches de fumée comme des signaux isolés.

L'Arachnos, trop heureuse de quitter la chambre des cauchemars, se précipita la première en utilisant sa filière. Retenue par son fil de rappel, elle se maintint au-dessus de la boue et vérifia l'absence de scorprabres, puis se laissa tomber. Les autres, encouragés par son exemple, la suivirent.

Ils atterrirent sans dommage dans la vase et coururent rapidement jusqu'à la terre ferme sans apercevoir le moindre crabe-chimère. La chaleur des incendies ou un autre phénomène plus mystérieux les avaient éloignés des parages du navire-usine.

—Il faut rejoindre notre campement, préconisa Élie sans trop savoir si cette initiative était raisonnable.

Un concert de clameurs féroces en provenance du vaisseau fit écho à ses paroles.

—Moelo nous a repérés ! se lamenta Pelote.

L'explosion de l'écoutille n'était pas passée inaperçue.

—Essayons de nous cacher dans la fumée, jeta Élie en désespoir de cause, le doigt pointé vers les feux qui embrasaient la forêt.

Il y eut un début d'affolement lorsque quelques traits laser s'enfoncèrent dans le sable autour d'eux. Fort heureusement, la fumée commençait à les dissimuler, empêchant une visée précise

—Ce salopard utilise son arme ! hurla Tiggy.

Profitant du désordre, Janis choisit ce moment pour leur fausser compagnie. Il courut en direction de ses camarades en faisant de maladroits signaux de reconnaissance avec ses mains liées. Le drame se déroula en une fraction de seconde. Un trait laser atteignit le garçon en pleine poitrine et ressortit par le dos dans une gerbe de sang vaporisé. Il s'effondra comme une masse.

Les fuyards s'immobilisèrent un instant, incrédules, regardant le corps sans vie de Janis. Était-ce une erreur ? Une vengeance ? Une crise de colère du capitaine ? Nul ne pouvait le dire. Une chose était sûre, leurs poursuivants étaient prêts à semer la mort sans la moindre hésitation.

Ce fut la débandade dans la forêt en feu. Au départ, Élie avait indiqué une direction qui les rapprochait de leur campement, puis ce fut rapidement la confusion la plus totale. Chacun courut pour sa propre survie. L'Arachnos était la plus rapide, et on la perdit rapidement de vue.

Épuisé par sa blessure, qui s'était rouverte, Élie se laissa tomber dans un fossé et ne bougea plus. Il était seul. Il haletait pour capter un peu d'air.

Des pas se rapprochaient, faisant craquer les brindilles sèches. Élie tenta de calmer son souffle, mais il lui semblait que les battements de son cœur faisaient un bruit d'enfer qu'on entendait à dix pas. Deux torses nus, barbouillés d'argile, s'approchaient de sa cachette à pas comptés. Au bout de quelques secondes interminables, une paire de visages cruels apparut derrière le rideau de bambou qui le dissimulait. C'étaient les jumeaux, symétriques dans leurs peintures de chasse qui les transformaient en un couple de loups sanguinaires. Un sourire de triomphe tordit leurs visages tachés de suie. Ils levèrent leurs épieux garnis de pointes de fer aux deux bouts, prêts à clouer dans un même geste leur gibier au sol. Rassemblant toutes ses forces, Élie se rua hors de sa cachette et bouscula les chasseurs.

—Il est ici, il est ici. On le tient ! vociférèrent les jumeaux.

La chasse reprit, plus féroce encore, car proche de sa conclusion. Élie était affolé. Il entendait autour de lui des bruits de courses parallèles fendant les broussailles et les cris modulés des rabatteurs jubilant dans l'hallali.

Il déboula sur la plage, le souffle court. C'était une crique située à peu de distance du vaisseau, qu'on apercevait par-delà une pointe rocheuse. Il trébucha sur une racine et plongea la tête la première dans le sable. Il était perdu…

Il releva la tête, les yeux piquants de sel, et vit deux ronces noueuses garnies de pointes juste sous ses yeux. Des ronces, sûrement pas… des pattes solidement arrimées au sol, plutôt. Il leva encore un peu sa nuque vers le ciel. Au-dessus des pattes, il y avait un abdomen couvert d'une carapace blindée, et plus haut encore le masque attentif d'une énorme mère guerrière arachnos en tenue de combat.

Elle était bien plus massive que Wiit, et ses chélicères paraissaient capables de décapiter n'importe quel petit humain.

Derrière elle se tenaient une vingtaine de soldats arachnos pointant des tubes thermiques en direction de la forêt.

La vision brouillée du garçon enregistra également, à l'extrémité du lagon, l'image fantastique d'un cuirassé de guerre interstellaire dont la coque refroidissait dans les hauts-fonds en dégageant d'épais nuages de vapeur.

Les poursuivants débouchaient à leur tour sur la

plage. Leurs cris se suspendirent net, et ils laissèrent tous tomber leurs armes. Moelo réagit avec une fraction de seconde de retard. Sa main fut instantanément atteinte par un jet d'acide parti du rang des Arachnos. Il lâcha son pistolet en hurlant de douleur et contempla avec horreur sa main profondément brûlée.

« Les Arachnos vont tirer. Elles ne peuvent que tirer… » songea Élie en se raidissant pour affronter l'exécution.

Ce fut à cet instant que Wiit surgit de la forêt. Elle émit aussitôt des sifflements entrecroisés d'un débit inaccoutumé. Il y eut un flottement dans le rang des Arachnos adultes. La mère, attentive, pencha sa haute silhouette sur cette apparition. C'était donc cette petite rescapée d'une ancienne mission portée disparue depuis quelques mois qui avait envoyé tout récemment un message de détresse ! Une chance que leur vaisseau était dans les parages immédiats. Il y eut un échange de stridulations, puis une sorte d'accalmie. Les lanceurs thermiques s'abaissèrent.

Wiit se précipita vers Élie et planta ses yeux brillants dans les siens avec une intensité inquiète. Le garçon s'évanouit en souriant.

Une fois Tiggy et les autres enfants capturés par les Arachnos, ce fut la petite colonie humaine au complet qu'on regroupa sur la plage dans un enclos délimité par un champ de forces et surveillé par quatre guerrières en tenue de combat. Les araignées procédaient avec méthode et célérité. Alors que l'orage électrique se calmait, elles maîtrisèrent les incendies de forêt les plus menaçants et installèrent des unités de brouillage ultrasonique portatives pour éloigner la menace des créatures chimères.

Une petite bruine se mit à tomber sur les eaux grises du lagon. Les enfants se taisaient, le front bas, autant accablés par le souvenir cuisant de leurs récentes luttes intestines que par la perspective de dépendre d'une décision des Arachnos. La pluie tiède ruisselait en fausses larmes sur leurs visages fermés et coulait sur les peaux nues, effaçant peu à peu les peintures de guerre qui les ornaient.

—Qu'est-ce qu'elles vont faire de nous ? chevrota Pelote en se serrant contre Tiggy.

—Que ferions-nous à leur place ? répondit la jeune fille en évitant volontairement tout effet consolateur. Les Arachnos nous ont surpris en pleine guerre intestine, il ne leur reste qu'à achever le processus que nous avons entamé. Nous ne méritons pas mieux…

Elle s'interrompit pour observer avec inquiétude les tourelles de combat qui surgissaient des superstructures du vaisseau arachnos. Ces canons lourds étaient-ils mis en action pour leur exécution ? La question ne demeura pas longtemps en suspens. Une dizaine de faisceaux pourpres convergèrent soudain vers le navire-usine, visible au-delà de la pointe rocheuse de la crique. Le métal prit une teinte cerise et la coque explosa dans un énorme froissement qui ne ressemblait à aucun bruit connu. Un souffle d'air brûlant fouetta le visage des enfants, muets de saisissement.

Tiggy se tourna vers Moelo. Le garçon s'était fait un pansement de feuillages qu'il serrait en grimaçant sur sa main brûlée, sans aucun doute définitivement perdue pour le jeu de palet.

—Alors, « capitaine » ? jeta-t-elle la mine sombre. Comment te sens-tu, sans arme, sans vaisseau et sans compagnons de jeu ?

Le garçon baissa les yeux sans répondre.

Élie prit la parole à son tour :

—Quoi qu'il arrive, je ne ferai le procès de personne. Ce qui s'est passé ici ne concerne que les enfants de Mentor et restera entre nous, même s'il nous en coûte…

Il s'interrompit. Plusieurs canots, partis du navire arachnos, convergeaient vers la plage. C'étaient des nacelles tissées de forme circulaire, mues par un mince lance-rayon pointé dans l'eau. Ces étranges embarcations, parvenues en bout de course, se hissèrent sur le sable avec légèreté.

La mère arachnos s'avança, impressionnante, entourée d'une cinquantaine de soldats équipés. L'unité d'assaut formait un mur pétrifié dans un garde-à-vous menaçant.

« Comment espérer la moindre pitié ? » songea Élie, la gorge serrée.

L'Arachnos s'écarta soudain pour laisser passer une créature d'allure plus familière.

— Wiit ! cria Souris.

La petite Arachnos se dirigeait vers eux à reculons en traînant un conteneur dont elle avait saisi une sangle avec ses crochets.

— Une balise de détresse, avec des armes et des rations de survie ! s'écria Tiggy, incrédule. Elles nous laissent appeler les nôtres et nous permettent de nous protéger en attendant qu'on vienne à notre secours !

Wiit peinait à faire avancer sa charge, qui s'enfonçait dans le sable mouillé. Ses pattes tricotaient avec frénésie et elle émettait une stridulation asthmatique qui ressemblait à un gémissement d'effort. Elle parvint finalement jusqu'à Élie pour déposer son cadeau à ses pieds. Elle se retourna lentement, en équilibre sur ses pattes arrière, dans une position qui lui permettait de mieux communiquer avec les humains.

Les deux enfants échangèrent un long regard. Élie fixa, pour une fois sans crainte, les yeux scintillants qui l'observaient, et son visage s'éclaira dans un sourire confiant.

Wiit, ce rituel de cadeau achevé, recula, tourna sur elle-même, sembla hésiter puis se précipita vers Souris, qui courut à sa rencontre.

Les Arachnos s'agitèrent et exprimèrent quelque chose qui ressemblait à de la perplexité ou à un réflexe d'incrédulité diversement ressenti.

Souris saisit les deux pattes antérieures de Wiit et, pendant quelques secondes, ils exécutèrent un petit pas de danse dans le sable, unis dans le même rythme joyeux.

Cet incroyable ballet dura une poignée de secondes, puis la mère siffla un ordre. Wiit courut vers les siens sans se retourner. Les Arachnos remontèrent dans leurs canots et rejoignirent leur navire.

Les enfants humains étaient tous comme anéantis, *le regard fixé sur le cuirassé aux lignes sobres, immobile au loin.*

Épilogue

L a guerre entre les Arachnos et les Terriens dura encore dix longues années. Elle fit de nombreuses victimes dans les deux camps, parmi lesquelles Moelo, Kort, ou Toupie, qui moururent au champ d'horreur à des années lumières du système Gémini, lui-même curieusement épargné par la tourmente durant cette période.

Puis il y eut une rencontre entre les deux civilisations qui se disputaient chèrement la galaxie, une mission chargée de trouver une paix qui se négocierait en siècles, en milliers de mondes et en héritage empoisonné de la redoutable technologie zark.

Elle eut lieu symboliquement sur SW.AF.25, qui sortait depuis peu de sa torride cinquième saison. Le petit monde était calciné, désert, comme passé à l'étuve de stérilisation. Nulle trace des chimères créées par l'ancien navire-usine zark. Sentant le départ d'un nouveau cycle, quelques pousses végétales commençaient timidement à percer le sable sur la frange côtière.

À la tête de la délégation terrienne, il y avait un jeune

commandant des brigades de xénologie du nom d'Élie, flanqué d'une doctoresse rousse aux allures décidées et aux formes généreuses. Une équipe de savants les accompagnait, ainsi que quelques spécialistes en exobiologie. Parmi ces derniers se tenait un gaillard osseux au sourire sympathique et au teint rougissant, que tout le monde surnommait familièrement Souris malgré sa grande taille.

La délégation arachnos était dirigée par une vénérable mère de taille impressionnante, qui ne portait pas de tenue de combat mais une toque de soie sur laquelle on pouvait lire un mystérieux nom tissé : « Wiit ».

Postface

Deux phrases en italique ouvrent et concluent *Sa Majesté des clones* (hors prologue et épilogue). Elles sont empruntées mot pour mot au célèbre *Lord of The Flies* (*Sa Majesté des mouches*), de William Golding[3].

Ce roman, qui parle *des* enfants et *aux* enfants sur un ton inhabituellement grave, m'a fasciné dès mon jeune âge. Sans doute, d'abord, parce qu'il prend la situation de Robinson Crusoé et la transpose à une communauté de gamins jetés sur une île désertée par tous les gêneurs adultes. Cette situation exceptionnelle et excitante comme des grandes vacances un peu folles semble rendre possibles toutes les reconstructions, et même une sorte d'utopie juvénile répondant aux faillites guerrières des aînés.

Quoi de plus innocent, de plus naïf (natif !) semble-t-il, qu'une société d'enfants laissés à leurs initiatives de bons petits sauvages. Jean-Jacques Rousseau n'a-

---

3. Publié en 1954. Disponible en Folio (n° 1480). Un commentaire de l'œuvre assorti de documents et de témoignages est disponible dans la collection Foliothèque (n° 25).

t-il pas dit fortement en son temps que l'homme était naturellement bon et que c'était la société qui le corrompait ?

Pardon Jean-Jacques de nuancer tes propos, mais tout gosse je comprenais déjà de mes « guerres des boutons » personnelles, à l'école, dans la rue, sur les terrains vagues, que l'enfant de l'homme ne brillait guère par sa douceur, sa tolérance et son instinctif penchant à protéger les faibles. Je dirais même que je sentais plutôt les adultes comme des remparts nécessaires à la violence naturelle des mes petits congénères.

Enfant de la guerre, j'ai vu (et surtout senti, car j'étais bien jeune pour comprendre) les hommes laisser parler le mystérieux diamant noir enfoui au fond de leur cœur : celui de la haine.

Je parle de diamant, non pour suggérer qu'il s'agit d'un bien précieux, mais plutôt d'un cristal très dur qui défie le temps et la corrosion, cristal qui, on le dit couramment, est éternel bien que son âme de carbone noir soit facilement inflammable.

Qu'est-ce qui pousse les enfants bien élevés de *Sa Majesté des mouches*, ces membres policés d'une chorale religieuse, à se déchirer et finalement à s'entretuer dans le paradis tropical qui leur semble offert ?

Est-ce pour ressembler à leurs parents en train de faire la guerre ? Est-ce parce que la guerre est au cœur même de leur nature trouble ?

Cette question, je me la suis posée sur les terrains de

jeu de mon enfance, où j'étais loin d'être un petit saint, je l'ai gardée en vue dans les classes où j'ai enseigné, je me la pose toujours en sondant le vieil enfant ridé et rusé, mais toujours ignorant, que je suis devenu par le jeu automatique du temps qui passe.

Quelle est l'utilité de l'intelligence si l'homme, même enfant, est un loup pour l'homme et le traite parfois avec une telle cruauté qu'on doute qu'il ait conscience de tourmenter son semblable ?

Je me souviens d'une fillette aux yeux bleus qui devait avoir six ans, soit trois ans de moins que moi. Elle avait ramassé un escargot et entreprenait de l'écrabouiller dans sa coquille avec un clou rouillé. Le travail était long et sordide… Devant mes protestations, elle a levé vers moi ses yeux innocents, bredouillant d'une voix charmante : « Et pourquoi je le ferais pas ? Il peut rien me faire… »

Cette réplique m'a aidé, dans ma vie, à repérer les bourreaux d'aspect convenable. Il n'y a pire tortionnaire que quelqu'un qui se sent dans son bon droit et assuré de son impunité.

Jack, l'âme noire de *Sa Majesté des mouches*, raisonne comme Caïn qui vient de tuer son frère. Il veut faire disparaître ce qui l'accuse, en l'occurence Ralph, un témoin moralisateur, un peu pénible et profondément gênant, qui n'excuse pas sa mauvaise action. Cette fuite en avant est calculée, l'ignorance de la faute équivalant à un pardon autoproclamé.

Alors, n'y a-t-il plus d'espoir ? Est-ce que le froncement de sourcils du père sévère, l'éducation et ses règles, la religion avec son enfer et son paradis ou la peur du gendarme dans un guignol où tous les coups ne sont pas permis représentent les seuls remparts contre nos zones d'ombre ?

On peut imaginer que, dans un futur lointain où nous sillonnerons l'espace, nous finirons par rencontrer une espèce intelligente étrangère (le droit de se projeter dans un avenir même improbable est le privilège du rêveur éveillé, et la réponse de l'auteur de science-fiction à un problème sans solution immédiate). Alors… quel test grandeur cosmique, mes frères !

Ce sera à nous de prouver à ce moment-là, sous peine d'être supprimés comme des nuisibles, que l'intelligence et la sensibilité qui nous ont été données ou que nous nous sommes fabriquées ne sont pas synonymes de haine et d'intolérance[4].

Jean-Pierre Hubert
Wissembourg, le 25 décembre 2001

---

4. Un dossier pédagogique sur *Sa Majesté des clones* est disponible sur le site Autres Mondes (www.noosfere.net/autres-mondes).

Table des matières

Prologue 7
1. En terre inconnue 17
2. Première journée 27
3. Plongées dans le lagon 35
4. Nouvelles tentatives 45
5. Explorations 53
6. Le match de palet 63
7. Tempête sur le lagon 73
8. Bannis ! 83
9. L'astrolabe 93
10. Une découverte extraordinaire....................99
11. Le feu 109
12. Le navire-usine 115
13. Jours d'été 121
14. La chasse aux cochêvres 129
15. Prise au piège.....................................143
16. Wiit...157
17. Déclaration de guerre............................163
18. La cinquième saison 173
19. Le jugement 183
20. Le duel 193
21. Dans les entrailles du vaisseau 199
22. Le pardon 211
Épilogue 221
Postface de l'auteur 223

L'auteur : Jean-Pierre HUBERT

Né à Strasbourg en 1941, Jean-Pierre Hubert a appris le français sur les bancs de la maternelle et dans les bandes dessinées de « Coq Hardi ». Il vient de quitter le giron de l'Education Nationale, après avoir passé des décennies à donner le goût de la lecture et de l'écriture aux adolescents (et tout particulièrement aux collégiens de la ville où il habite, Wissembourg, dans le Bas-Rhin).

Jean-Pierre Hubert écrit depuis 1973 et a publié une cinquantaine de nouvelles (dont le recueil Roulette mousse, Denoël, 1987) et dix-sept romans (dont Les Faiseurs d'orages, Denoël, 1984, et Le Champ du rêveur, Denoël, 1984, grand prix de la SF Française). Ses qualités de styliste lui ont valu de nombreux prix. Mais l'homme a plusieurs cordes à son arc : il a aussi écrit des scénarios de téléfilms, des pièces de théâtre, des spectacles (en particulier pour le conteur J.-L. Baly). Il est passionné de musique traditionnelle et ancienne, joue de l'accordéon diatonique, anime des ateliers de danse et est un redoutable danseur de fest-noz !

Avec Le Bleu des mondes paru en 1997 (Hachette-Jeunesse, coll. Vertige SF), Jean-Pierre Hubert aborde les univers de la science-fiction jeunesse. C'est pour lui une découverte. Il récidive avec Les Cendres de Ligna (Mango Jeunesse, 2000, coll. Autres Mondes). Il est aussi au sommaire des anthologies Graines de Futurs (Mango Jeunesse, 2000, coll. Autres Mondes) et Les Visages de l'humain (Mango Jeunesse, 2001, coll. Autres Mondes).

Sa Majesté des mouches, le chef-d'œuvre de William Golding, a fasciné des générations de lecteurs, jeunes et moins jeunes. Jean-Pierre Hubert est l'un d'entre eux. Qu'est-ce qui pousse ces enfants bien élevés à se déchirer puis à s'entretuer dès qu'ils sont livrés à eux-mêmes ? En imaginant la rencontre mouvementée entre les « enfants de Golding » et une espèce intelligente extraterrestre sur une île perdue dans l'espace, Jean-Pierre Hubert donne à cette question une dimension cosmique.

L'illustrateur : PHILIPPE MUNCH

Né à Colmar en 1959, Philippe Munch vit actuellement à Strasbourg. Il a toujours été passionné par le dessin et la lecture, ce qui l'a naturellement amené à la bande dessinée (premières réalisations en 1966 !). Après des débuts professionnels dans la BD, il se tourne vers l'illustration en 1984. Les plus grands éditeurs l'accueilleront : Gallimard, Casterman, Nathan, Hachette-Jeunesse, Albin Michel, etc.

C'est dans le domaine de l'illustration qu'il peut renouer avec la SF et la fantasy, *ses domaines de prédilection. C'est ainsi qu'il a illustré* Le Seigneur des Anneaux, *de Tolkien (Gallimard),* Les Aventures de Kerri et Megane, *de Kim Aldany (Nathan),* Le Maître de Juventa, *de Robert Belfiore (Hachette Jeunesse),* La Louve et l'Enfant, *d'Henri Loevenbruck (Bragelonne) et, surtout,* Rougemuraille, *de Brian Jacques (Mango), dont les somptueuses couvertures ont largement contribué au succès de la série.*

Avec Manchu, il est l'illustrateur attitré de la collection Autres Mondes. Sa récente couverture des Visages de l'humain *(d'après Léonard de Vinci) a été très remarquée.*

« Mais si l'espace me fascine, précise Philippe Munch, je n'en reste pas moins passionné par une planète particulière, la Terre que j'essaie de découvrir au fil de nombreux voyages faits en compagnie de ma compagne et mon fils. »

Et de conclure : « Je suis également très bon au baby-foot. Surtout à l'arrière. »

AUTRES MONDES

Collection dirigée par Denis Guiot
Pour tout lecteur, dès onze ans

Une exploration passionnante de
l'imaginaire de science-fiction :
réalités virtuelles et truquées, planètes lointaines,
rencontres avec des extraterrestres,
mondes parallèles de la *fantasy*,
voyages dans le temps, sociétés futures, *Homo futuris*…

Une invitation à l'aventure, au rêve et à la réflexion
pour les jeunes du troisième millénaire.

*« Un des partis pris de cette nouvelle collection de Mango
intitulée* Autres Mondes *et dirigée par Denis Guiot,
parfait connaisseur de la science-fiction jeunesse,
est de stimuler autant l'imagination que la réflexion. »*
Frédérique Roussel, Libération.

Vous avez aimé ce roman, découvrez sur le site
AUTRES MONDES
tous les titres de la collection et
beaucoup d'autres informations :
extraits, biographies des auteurs, reportages,
dossiers pour les enseignants.

www.noosfere.net/autres-mondes

TITRES DÉJÀ PARUS

1. GRAINES DE FUTURS
Anthologie dirigée par Denis Guiot, préface d'Albert Jacquard

Clones acteurs de cinéma, éoliennes flottant dans la haute atmosphère, logiciels sentimentaux, maisons tueuses, bananes qui vaccinent, nanorobots fantômes, retour de l'homme sur la Lune...
À l'aube du IIIe millénaire, l'éventail des futurs possibles engendrés par l'accélération de la connaissance scientifique donne le vertige et a inspiré les sept nouvelles inédites réunies dans cette anthologie.
Sept graines de futurs plantées par les meilleurs écrivains de science-fiction pour la jeunesse : Ange, Robert Belfiore, Christian Grenier, Alain Grousset, Jean-Pierre Hubert, Christophe Lambert, Danielle Martinigol et Joëlle Wintrebert.

« Composée d'abord pour la jeunesse, brillamment préfacée par Albert Jacquard, cette anthologie fait partie des livres à la lecture desquels on se sent devenir plus intelligent. »
François Rahier, *Sud-Ouest Dimanche*

2. LES CENDRES DE LIGNA
par Jean-Pierre Hubert

Dans la profondeur des forêts de la planète Ligna se cache un arbre aux pouvoirs mystérieux qui excite bien des convoitises : le ginnka. Jusqu'à présent, Maître Harvinn et ses apprentis Jona et Rick ont exploité ses richesses tout en respectant la planète et ses habitants, les Cendreux, des êtres étranges mi-humanoïdes, mi-végétaux, pour qui le ginnka est un arbre sacré. Mais d'autres colons, plus soucieux de rentabilité, décident d'utiliser une monstrueuse machine robotisée, le mégabull. Le ginnka se transforme alors en un redoutable adversaire.

« Les Cendres de Ligna est un planète opéra développant une thématique écologique de façon très intelligente et avec une grâce d'écriture peu commune, qui bénéficie de surcroît d'une superbe couverture de Manchu. »
Jacques Baudou, *Le Monde*

3. L'ŒIL DES DIEUX
par Ange
(PRIX J'AI LU, J'ELIS 2001 des Ados de la Ville d'Angers)

Ils ont entre neuf et quatorze ans et sont divisés en bandes rivales :
les Loups, les Ours et les Crazes. Ils sont vingt-neuf exactement qui
vivent depuis toujours dans la Bulle, un lieu étrange et hermétique-
ment clos qui leur dispense nourriture et énergie.
Depuis que les robots qui s'occupaient d'eux se sont immobilisés à
jamais, ils passent leur temps à se faire la guerre, sous la conduite de
Mina pour les uns et de Jeff pour les autres. Mais un jour, les distri-
buteurs de nourriture s'arrêtent de fonctionner et la Bulle protectrice se métamorphose en un piège mortel.

« L'Œil des dieux *est une robinsonnade en forme de réflexion sur les mythes
et la naissance des religions, qui dose adroitement suspense et drame.* »
Stéphane Manfredo, *La Revue des livres pour enfants*

4. LE SOUFFLE DE MARS
par Christophe Lambert

Mars, année 2121. La colonisation a commencé. Le jeune Keith
David fait partie d'une petite équipe qui effectue des relevés scien-
tifiques du côté de Chasma Borealis, la plus grande vallée glaciaire
du pôle Nord. Mais la navette qui doit venir les reprendre s'écrase
à l'atterrissage. De plus, *Bradbury Town*, la base principale, ne
répond plus. Après un périple épuisant à travers les déserts de la
planète rouge, Keith et ses amis rejoignent la base, où l'horreur les
attend…
Un suspense martien implacable, par l'auteur de *Titanic 2012*.

« *Non seulement l'auteur a construit un récit qui tient en haleine, mais il y
a greffé mille références aux grands maîtres de la science-fiction.* »
Françoise Harrois-Monin, *Ciel et Espace*

5. LES ABÎMES D'AUTREMER
par Danielle Martinigol
(GRAND PRIX DE L'IMAGINAIRE 2002)

Sandiane a 16 ans. Elle est l'assistante de son père, grand reporter. Tous deux traquent le scoop à travers tout le cosmos. Ils décident d'aller sur la farouche planète-océan Autremer afin de percer le secret des Abîmes, ces astronefs mythiques qui en seraient originaires. Mais là, Sandiane et son père se retrouvent en butte à l'hostilité des habitants, et tout particulièrement à celle du jeune Mel et de son oncle, guides-pilotes de safaris sous-marins. Quel redoutable secret dissimulent les eaux de la planète Autremer ? Lorsque Sandiane découvrira l'incroyable vérité, osera-t-elle la diffuser dans toute la galaxie, au risque de détruire la civilisation autremerienne ? Après *Les Oubliés de Vulcain*, un nouveau grand roman écologique et romantique de Danielle Martinigol.

« *Dans* Les Abîmes d'Autremer, *[Danielle Martinigol] ébauche une réflexion qui n'est pas manichéenne sur le pouvoir médiatique, ses vertiges et ses excès ; mais surtout elle imagine une très belle relation symbiotique entre les humains et une espèce extraterrestre habitant la planète-océan Autremer, espèce capable de sillonner des mers de nature très différente... Et elle enrobe le tout en relatant l'itinéraire d'une jeune fille de seize ans un peu trop sûre d'elle qui, en tentant de percer un secret, va tout bonnement changer sa vie.* »

Jacques Baudou, *Le Monde*

6. SQUATTEUR DE RÊVE !
par Dany Jeury

Victime d'un grave accident de skate, Thibaut est depuis une semaine dans le coma. Bardé de tuyaux de toutes sortes et de fils électriques reliés à un ordinateur, allongé sur son lit d'hôpital, il rêve... de ses potes et de Plotte, son amie de cœur. Bien malgré lui, Paulin, un jeune punk aux cheveux rouges qui travaille dans la clinique, est projeté dans l'univers intérieur de Thibaut et se retrouve en train de squatter le rêve du skateur ! D'insolite au départ, la situation se transforme en un dramatique chassé-croisé entre rêve et réalité. Car la mort rôde dans le coma de Thibaut.

« *[...] Pour ceux qui aiment rêver et squatter les rêves des autres, ce premier roman à l'écriture simple et d'une grande fraîcheur sera un vrai bonheur.* »

Martine Lavogez, *www.noosfere.org*

7. LES VISAGES DE L'HUMAIN
Anthologie dirigée par Denis Guiot,
préface d'Axel Kahn

Manipulations génétiques, conditionnement neurobiologique, clonage et cyborgs redessinent de manière accélérée les frontières de l'humain. Que sera l'homme de demain ? À sa sortie de la « grande fabrique du vivant », appartiendra-t-il toujours à l'espèce *Homo sapiens* ? Conservera-t-il toujours son libre arbitre ? Pour répondre à ces questions de plus en plus pressantes, *Les Visages de l'humain* réunit au sommaire Jean-Pierre Andrevon, Fabrice Colin, Christian Grenier, Gudule, Jean-Pierre Hubert et Éric Simard. Six nouvelles décapantes pour faire le tour de l'*Homo futuris* !

« Soyons francs : qui aurait soupçonné qu'une anthologie estampillée "jeunesse" puisse un jour faire date, même de façon relative, dans l'histoire du genre en France ? [...] Il y a du miracle là-dedans. On s'en rend compte d'ailleurs tout de suite : même la couverture est splendide, c'est dire ! »
Bruno della Chiesa, *Galaxies*

8. LES CHIMÈRES DE LA MORT
par Éric Simard

Fin du XXIᵉ siècle. Les colons luniens se sont révoltés contre la domination de la Confédération terrienne. Emmenées sur la face cachée de la Lune par le lieutenant Sorg Lancray, les Chimères de la Mort (des créatures animales mi-gorille, mi-tigre) prennent part au conflit. De retour dans la demeure familiale, un fort au large de Saint-Malo, Sorg découvre que son frère, généticien pour la Confédération et qu'il n'avait plus vu depuis des années, lui a légué à sa mort le fruit de ses recherches interdites, Onyx, une chimère d'un nouveau genre, mi-humaine, mi-féline. Dans quel but ?
Biologiste de formation, Éric Simard aborde le sulfureux problème du croisement entre espèces.

« Éric Simard aborde ici le problème de la manipulation génétique, sans oublier de bâtir une histoire solide avec des personnages attachants et le suspense nécessaire pour que le lecteur ait envie d'avoir le fin mot de l'histoire. »
A.L. Dometoff, *Lanfeust Mag*

9. LES ENFANTS DE LA LUNE
par Fabrice Colin

Décembre 1942. Paris occupé gémit sous la botte nazie. Deux jours avant Noël, le jeune Adrien reçoit un étrange appel au secours, destiné en fait à son grand-père… mort il y a plus de dix ans ! « Aux temps maudits de l'Exode, vous avez aidé notre peuple. Une fois encore, et sur les recommandations de notre reine, nous faisons appel à vous. » Signé : Leydamoon du peuple Annwyn. Adrien se lance alors dans une dramatique course contre la montre pour sauver les derniers Annwyns pourchassés par les Siths, d'abominables créatures de la nuit qui se sont associées aux nazis. Hélas, tous les passages permettant à Leydamoon et à son peuple de quitter notre univers se sont refermés. Tous… sauf un.
Une *fantasy* urbaine aux accents poétiques, ancrée dans une époque douloureuse de l'histoire contemporaine.

« Fabrice Colin est un enchanteur, ses romans et ses nouvelles provoquent un sentiment jubilatoire d'émerveillement… Faudrait-il en faire la démonstration que Les Enfants de la Lune, *sa première incursion dans la littérature jeunesse, serait tout indiqué. »*

Jacques Baudou, *Le Monde*

10. CLONE CONNEXION
par Christophe Lambert

L'Internet est mort, vive l'Intersphère ! Enveloppant la Terre, ce champ de forces invisible contient des milliards de données. Mais pour y accéder, il faut passer par des êtres humains appelés « connecteurs », capables de surfer sur cet océan d'informations grâce à leurs facultés psychiques.
C'est parce qu'il possède de tels pouvoirs que le jeune Frédéric Lorca est engagé par la Com. Amalgam, l'entreprise à l'origine de ce Web du futur. Peu après, Frédéric apprend qu'une terrible menace se cache dans l'Intersphère. Il décide de mener l'enquête. Finira-t-il par découvrir l'effrayante vérité ? Et lui-même, qui est-il réellement ?

11. LES REBELLES DE GANDAHAR
par Jean-Pierre Andrevon

Venant de la Terre mythique, la belle Athna a débarqué sur la planète Tridan et plus rien n'est comme avant dans ce qui était jusqu'à présent le paisible royaume de Gandahar. En effet, l'Envoyée de la Terre a décidé, avec l'aide de ses inquiétants animators, de faire connaître aux habitants du royaume les « délices » de l'ère industrielle. Même le chevalier Sylvain semble envoûté ! Heureusement, la douce Airelle à la peau bleue se rebelle.

Jean-Pierre Andrevon revient à son univers de prédilection, le monde fascinant de Gandahar, porté en 1987 à l'écran par René Laloux, sur des dessins de Caza.

12. SA MAJESTE DES CLONES
par Jean-Pierre Hubert

Poursuivie par les redoutables Arachnos, une navette de sauvetage ayant à son bord une vingtaine d'enfants terriens s'écrase sur une planète sauvage, en bordure d'un lagon. Rapidement, ces vacances forcées tournent au cauchemar : la planète recèle mille dangers, les enfants découvrent une mystérieuse épave arachnos capable de fabriquer du vivant et, surtout, des rivalités apparaissent qui vont faire craquer le vernis de civilisation.

Une adaptation audacieuse du fameux roman de William Golding, *Sa Majesté des mouches*.

TITRE À PARAÎTRE EN MAI 2002

13. PROJET OXATAN
par Fabrice Colin

Phyllis, Jester, Diana et Arthur, quatre adolescents orphelins, vivent depuis toujours au fond d'un cratère martien terraformé tapissé d'une jungle luxuriante, reclus dans une grande maison (qu'ils ont baptisée le « bunker ») entourée d'un marécage infesté de crocodiles, sous la garde de MG, leur gouvernante un peu folle.
D'où viennent les enfants ? En quoi consiste le projet oXatan ?

Un oppressant conte de fées du futur, mêlant manipulations génétiques et peurs ancestrales.

TITRE À PARAÎTRE EN SEPTEMBRE 2002

14. KAENA
par Pierre Bordage

Axis, la planète-arbre est en danger de mort car sa sève s'épuise. En vain, les dieux sont implorés. Kaena, une jeune fille déterminée, va braver les tabous de sa tribu et se lancer dans un périlleux voyage, jusqu'aux racines d'Axis.

Un événement !

Impression réalisée sur CAMERON par

BRODARD & TAUPIN

GROUPE CPI

*La Flèche
en avril 2002*

Imprimé en France
N° d'impression : 11440
Dépôt légal : avril 2002